Les Éditions du Boréal
4447, rue Saint-Denis
Montréal (Québec) H2J 2L2
www.editionsboreal.qc.ca

ONZE
PETITES TRAHISONS

Agnès Gruda

ONZE
PETITES TRAHISONS

nouvelles

Boréal

© Les Éditions du Boréal 2010 pour l'édition originale
© Les Éditions du Boréal 2011 pour la présente édition
Dépôt légal : 1er trimestre 2011
Bibliothèque et Archives nationales du Québec

Diffusion au Canada : Dimedia
Diffusion et distribution en Europe : Volumen

*Catalogage avant publication de Bibliothèque et Archives nationales du Québec
et Bibliothèque et Archives Canada*

Gruda, Agnès, 1957-

    Onze petites trahisons

    (Boréal compact ; 222)

    ISBN 978-2-7646-2076-2

    I. Titre.

PS8613.R834O59   2010b   C843'.6   C2010-942301-1

PS9613.R834O59   2010b

ISBN PAPIER 978-2-7646-2076-2

ISBN PDF 978-2-7646-3012-9

ISBN ePUB 978-2-7646-4012-8

À Klara

L'attente

Dans ma main, je tiens la main de maman. Ou plutôt : ce qui a déjà été la main de maman.

Sa peau a une couleur étrange, pâle, on dirait du papier de riz parsemé de taches d'encre. À force de la piquer à la recherche de veines fuyantes, les infirmières y ont dessiné une constellation d'hématomes. Ses ongles sont fissurés, friables, presque blancs. Comme s'il n'y avait plus assez de vie dans son corps pour fabriquer de la couleur.

Tu te rappelles comment maman prenait soin de ses mains ? Comme elles étaient importantes pour elle ? Pas seulement parce qu'elles lui servaient à découper de fines tranches de pommes pour la charlotte, sa spécialité. Ou à tresser mes cheveux, longuement, en forçant le passage de la brosse à travers les boucles et les nœuds. Ou encore, et surtout, à jouer du piano.

Non, pour maman, les mains, ce n'était pas une question d'utilité. On reconnaît une femme à ses ongles, disait-elle en soufflant sur son vernis pour le faire sécher, avec ce geste qui était tellement ELLE. Tellement maman.

Le vernis, elle en mettait toujours deux couches :

une première pour la couleur, qui devait être coordonnée aux circonstances. Une seconde translucide, pour le brillant. Quand ses doigts couraient sur le piano, le soir, elle épatait ses invités avec des enchaînements de triolets, et ses ongles voletaient au-dessus des touches comme des colibris.

La main que je tiens maintenant n'a plus rien d'aérien, rien d'élégant non plus. C'est une masse inerte qui ne ressemble à la main de maman que d'un point de vue morphologique, quantitatif. Elle a bien cinq doigts, un pouce, un index, un majeur, elle se rattache à un bras, lequel, à son tour, vient se fixer à l'épaule de maman. Mais tout ça, ce ne sont que des concepts. La main de maman, la vraie, n'existe plus.

L'index, le majeur… Tu te souviens de ça aussi ? Quand elle nous apprenait le nom de chacun des cinq doigts de la main ? L'index sert à indiquer, l'annulaire à enfiler un anneau. Alors, tu demandais : et le pouce, c'est pour pousser ? Et chaque fois, elle s'esclaffait.

Les mots aussi étaient importants. Il fallait utiliser le terme juste, précis, à quoi servaient-ils donc, tous ces mots du dictionnaire, si on ne prenait jamais la peine de les employer ? Va chercher *Le Petit Robert*, ordonnait maman, quand nous lui racontions nos journées en émaillant nos phrases de termes passe-partout, comme « affaire » ou « truc ».

Avec maman, il n'y avait pas d'affaires, pas de trucs. Pas d'oiseaux non plus, mais des merles, des tourterelles et des chardonnerets, pas de fleurs, mais des pivoines, des iris et des rudbeckias. Elle avait peiné pour apprendre cette langue, le français, et elle ne supportait pas que, l'ayant reçu à la naissance, sans effort, nous osions l'écorcher avec notre négligence et nos approximations.

Ça aussi, c'est fini aujourd'hui. Envolés, les mots, ceux en français d'abord, puis ceux des langues d'avant, qui se sont effacées les unes après les autres, comme des couches de peinture qui disparaissent successivement sur un meuble décapé. Partis, les mots, comme les sonates qu'elle jouait avec ses doigts longs et fins, pour la galerie, ou pour nous endormir.

Je me demande si tu te rappelles tout ça, si tu as gardé en mémoire ses exigences, sa quête du mot juste, ses ongles colibris. Si tu te souviens de la manière dont elle levait la main du piano, son geste lent et rond, ce mouvement suspendu qui semblait appeler les applaudissements, tout en les retardant. Attendez le silence, disait le corps de maman, pendant que la vibration des dernières notes s'éteignait entre les murs tapissés du salon.

La regardais-tu de la même façon que moi, avec la même fascination? Nous n'en avons jamais parlé. Et dans mon souvenir, c'est toujours elle qui a les yeux braqués sur toi. Elle qui te regarde, tu bouges sans arrêt, tu parles, tu ris, elle te fixe et moi, je la regarde te regarder.

Je suis née la première, mais je ne me souviens pas de la vie avant toi. Aucune image, ou perception, aucune émotion enfouie au tréfonds de moi où il n'y aurait que nous deux: maman et moi.

Tu es toujours là, mon cadet de deux ans, et toi, tu sais attirer son attention. Je sais que tu ne le fais pas CONTRE moi, non, mais ton agitation et ta fébrilité drainent vers toi le regard de maman et m'expulsent vers une zone grise, périphérique. Telle la gouttière qui, par l'angle de son inclinaison, mène dans la direction voulue l'eau de pluie. Pendant que moi, je reste isolée, à l'écart. Au sec.

Pas que maman m'ignore, non, mais elle me regarde avec distraction, et ses yeux sont invariablement flous. Puis tu entres dans son champ de vision, tu es tombé à vélo, tu saignes, ou tu fais le clown, et ses pupilles se concentrent, deviennent plus foncées, presque bleu marine. Tu es là et elle prend vie.

Maman ouvre rarement les yeux, maintenant. Elle respire lentement, avec un léger râle. Parfois, son souffle s'arrête, et je guette sa poitrine : va-t-elle encore se soulever ? Puis elle aspire un peu d'air dans ses poumons, ses bronches sifflent et je me détends.

Hier matin, elle a voulu ouvrir les paupières, mais elles étaient collées avec du pus. J'ai nettoyé ses yeux avec une lingette humide, j'ai essuyé aussi son front et, avec le peigne, j'ai lissé sa frange clairsemée, je l'ai remontée vers la droite, comme elle le faisait, avant.

Elle me fixait avec effort à travers ses pupilles brouillées, comme si elle cherchait à se rappeler quelque chose, et pendant une fraction de seconde j'ai eu l'impression qu'elle était déçue de me voir. Qu'elle espérait que ce serait toi. Encore.

La peigner, la soulager, couper ses ongles avant

qu'ils ne se cassent tout seuls. L'autre jour, c'était dimanche, je lui ai mis ses deux couches de vernis. Le parfum étourdissant de l'acétone a fusionné avec l'odeur de la maladie, qui imprègne ses draps. J'ai dit : c'est à ses ongles qu'on reconnaît une femme, et elle m'a lancé un regard éperdu, puis elle s'est mise à gémir, à gigoter, à arracher son soluté.

J'ai appelé l'infirmière et elle l'a attachée à son lit en disant : « Tranquille, tranquille. » C'est une Haïtienne aux formes rebondies, avec une poitrine rassurante. Elle lui a injecté je ne sais quoi. Maman a fermé les yeux et elle s'est rendormie.

Il n'y a pas grand-chose à faire dans cette chambre où j'attends la mort de maman. J'ai tout le temps qu'il faut pour penser. Et à l'intérieur de ce temps, chaque minute et chaque seconde est divisible à l'infini. Nous vivons ici, maman et moi, une sorte d'éternité : à force de découper le temps en tranches de plus en plus fines, comme les tranches de pommes qu'elle étalait en rangs serrés sur sa charlotte, à force de traquer l'instant infiniment petit, j'ai l'impression de prolonger sa vie. De repousser l'échéance. Nous sommes seules, toutes les deux. Nous sommes maman et moi, pour toujours.

Je laisse affluer les images du passé : ses mains, ses ongles, le piano, les gâteaux. Mais aussi les gestes d'impatience, laisse, laisse donc parler ton frère, surveille-le, tu es la grande sœur, je suis occupée, veille sur lui pour qu'il ne se coupe pas au bras, à la jambe, au dos, tu sais comment il est, toi, tu es différente, si raisonnable…

Je me demande si tu te souviens, toi, des mains de

maman, de ses ongles, de la façon dont elle appliquait son vernis avec un petit pinceau, toujours vers l'extérieur, avant de placer ses doigts en éventail et de souffler dessus son haleine qui sentait le lait et le tabac.

Sais-tu comment elle coiffait ses cheveux, la frange vers la droite, la raie légèrement décalée, sur la gauche ? Il faut beaucoup d'attention pour remarquer ce genre de détails, et toi, tu étais toujours trop occupé à prendre des risques, à monter, sauter, tomber. À être TOI. Non, je suis presque certaine que tu ne le voyais pas.

Quand je repense à notre enfance, à notre vie dans la maison de brique blanche, avec ses trois chambres, son sous-sol fini et son petit jardin clôturé par une haie de cèdres (pas des sapins, des cèdres, disait maman), je nous revois formant une sorte de chaîne. Je regarde maman, elle te regarde, et toi, tu regardes je ne sais quoi. Papa, lui, est en retrait. Au travail, peut-être. Moi, je suis celle qui observe les autres. Jamais celle que l'on voit.

Ce partage des rôles m'a longtemps paru juste et naturel. J'étais raisonnable et toi, tu étais intéressant. Comme il est INTÉRESSANT, Philippe, disaient nos parents, sans même prendre la peine de vérifier si nous les écoutions. Explorateur, toujours à l'affût, inquiétant, pas reposant. Mais comme il est intéressant. De moi, ils parlaient peu, mais il y avait sans doute peu de choses à dire.

Tu avais toutes ces histoires à raconter. Et il y avait des dizaines d'anecdotes à relater à ton sujet. La fois où tu as appelé les pompiers à l'école. La fois où tu es tombé en bas de l'escalier, et que tu n'as même pas pleuré. La fois où tu as basculé par-dessus les barreaux de ton lit et que tu t'es cassé un bras. La fois où tu as apprivoisé un pic flamboyant. La fois où. La fois où. La fois où.

Même l'histoire de ta naissance était plus captivante que la mienne. Avec toi, maman a souffert le martyre pendant neuf mois, des nausées incessantes et inimaginables, elle ne supportait aucune odeur, la pire était celle du poulet cuit, douceâtre, écœurante. Elle avait complètement cessé de fumer pendant cette grossesse. Pas par choix, non, avec moi elle ne s'était pas empêchée de défier les décrets médicaux. Mais plutôt parce qu'elle était incapable de sentir la moindre fumée, une seule volute et hop! la revoilà dans la salle de bain, à s'arracher l'estomac, à tambouriner de ses poings fermés sur la cuvette de porcelaine blanche, une fois de plus.

Et ta naissance, alors. Trente-six heures de contractions qui se sont terminées par un accouchement aux forceps qui l'a laissée à bout de sang. Tu es né tout bleu, et tu as pris ton temps avant de pousser ton premier cri. L'art de te faire désirer, déjà…

Moi, j'étais le fruit d'une grossesse exemplaire et d'un accouchement sans histoire, ni trop facile ni trop douloureux. Huit heures de travail, expulsée à la troisième poussée. Rien pour marquer la mémoire. Rien d'intéressant.

Si j'ai été jalouse? Mais qu'est-ce que tu crois? Jalouse de l'intensité avec laquelle maman te regardait, de l'attention que tu suscitais et que je ne parvenais pas à déclencher, même quand j'essayais de t'imiter.

J'étais née comme j'étais née, et je ne pouvais quand même pas agir rétroactivement sur la dilatation du col utérin de maman… Mais il m'est arrivé de me blesser presque volontairement et d'accourir vers elle avec mes plaies, qu'elle nettoyait avec soin et professionnalisme : un peu d'eau, une lotion antibiotique, du mercurochrome, de la gaze fixée à ma peau avec un ruban adhésif transparent. Sauf que ses mains avaient beau toucher mon corps, son esprit n'y était pas. Avec moi, maman était distraite et évanescente.

Par moments, je t'ai détesté. J'ai souhaité que tu disparaisses. Que tu ne sois jamais né. Mais je savais que ce désir était vain. Qu'avec ou sans toi ma cause était perdue. Que même si tu n'avais pas existé maman ne m'aurait jamais regardée comme elle te regardait, toi.

Ce n'est pas qu'elle disposait d'une quantité limitée d'attention maternelle et qu'avec tout ce qu'elle te donnait, à toi, il n'en restait plus assez pour moi. Non, ça n'avait rien d'aussi mécanique, ça tenait à autre chose. À ce que nous étions. À ce que nous sommes, tous les deux.

J'ai fini par penser que ce n'était ni sa faute ni la tienne. Le problème, c'était moi. Moi qui étais née avec un défaut congénital : une retenue telle que je n'ai même pas osé faire souffrir ma mère en venant au monde. Peut-on imaginer un être plus terne et ennuyeux ?

Quelque chose en moi m'a toujours empêchée de déranger, de vibrer, d'exister pleinement. La différence entre nous deux m'a sauté aux yeux, l'autre jour, quand pour passer le temps, dans cette chambre, la chambre où j'attends la mort de maman, j'ai entrepris de feuilleter les vieux albums familiaux. Je les avais retrouvés parmi ses affaires, à la résidence.

Ce jour-là, donc, maman respirait, son soluté suintait à toutes petites gouttes dans la veine de son avant-bras, le patient de la chambre voisine faisait jouer sa télévision à tue-tête, et dehors il y avait plein de gens pressés d'arriver quelque part. Assise à côté de maman, je tournais les pages d'un vieil album rempli de photos en noir et blanc et, plus loin, de clichés instantanés dont les couleurs s'étaient délavées avec le temps.

D'une manière étrange, que tu trônes au centre d'une photo ou que tu sois tout petit, recroquevillé dans un coin, c'est toujours toi qui attires le regard. L'air semble vibrer autour de ton visage, comme si irradiait de toi je ne sais quelle luminosité qui donne de l'éclat et de l'intensité à tes traits.

Mes traits à moi ne sont ni beaux ni laids, je n'ai pas de quoi me réjouir, mais pas non plus de quoi me plaindre. Je suis… quelconque. Des jambes maigres, des épaules un peu tombantes. Mes mains sont croisées sur mon ventre. Mes yeux fixent l'objectif sans expression particulière et mon image ne réverbère rien du tout.

Ne va pas croire que je me plaigne. C'est simplement que, dans la vie, il y a les gens qu'on voit et il y a les autres, ceux qui passent inaperçus. J'ai toujours appartenu à la seconde espèce, c'est un fait, et je l'ai tacitement accepté. Je regardais maman, elle te regardait, et c'était comme ça, c'était notre réalité à nous, notre chaîne à nous trois.

Il y a eu l'été où tu as acheté une auto d'occasion, une Chrysler immense, avec des ailes dorées et une carrosserie rongée par la corrosion, et où tu es parti avec une copine jusqu'au bout du Canada, jusqu'au Pacifique. À l'époque, je vivais encore à la maison, je travaillais dans une pharmacie pour mettre de côté l'argent qui allait me permettre, l'automne suivant, de louer mon propre appartement et de commencer, enfin, ma vie d'adulte.

« Philippe, il a attrapé notre piqûre des voyages », a dit maman avec un air admiratif le jour où toute la famille s'est rassemblée autour de la Chrysler rouillée. Les sacs de couchage, les provisions, les imperméables, les vélos, l'équipement de camping : l'auto était remplie jusqu'au plafond.

« *Bobby, Bobby McGee* », hurlait Janis Joplin à la radio. Tu avais baissé la vitre et appuyé ton coude sur le cadre de la fenêtre. Ta copine portait une tunique indienne turquoise. Elle nous souriait tout en nouant ses cheveux avec un élastique.

« Fais attention, tu ne verras rien par la lunette arrière », a dit maman d'un air attendri, et, déjà, ta main et celle de ton amie faisaient des vagues dans l'air que vous laissiez derrière vous, avec un nuage de gaz d'échappement.

L'amour des voyages faisait partie du legs de maman, avec ses mains soignées et ses exigences linguistiques. Elle-même avait d'abord voyagé par obligation, pour survivre. Puis par plaisir, avec la même intensité que celle qui la faisait piocher ses nocturnes préférés de Chopin.

Voyager, c'était une autre façon de susciter l'intérêt de maman. De marquer l'appartenance à son clan. Mais moi, je n'en ai jamais eu envie. Les départs, les valises, les longues attentes dans les aéroports, toute cette éreintante agitation, je crois que je n'ai jamais compris.

« Sophie n'aime pas voyager », disait maman sur un ton qu'elle voulait neutre et factuel, mais où je lisais sa perplexité : quel segment d'ADN paysan avait donc semé cette fille immobile dans sa famille de nomades et d'explorateurs ?

Un soir, donc, cet été-là, l'été de ton voyage au-delà des Rocheuses, maman m'a demandé comment s'était passée ma journée. Habituellement, je me contentais de dire : très bien, et la tienne ?

Mais ce jour-là, il y avait eu un incident à la pharmacie. Une vieille dame était tombée en convulsions dans l'allée des crèmes solaires, juste devant moi, à mes pieds. J'avais vu ses yeux révulsés et la bave qui s'échappait de ses lèvres, je l'avais prise dans mes bras et j'avais essayé de lui tenir la tête, pour empêcher qu'elle ne se morde la langue.

L'incident, en soi, avait de l'intérêt. Était-ce la manière dont je le relatais qui clochait ? Pendant que je parlais, papa a commencé à ramasser les assiettes, tandis que maman récurait ses ongles à l'aide d'une petite lime, tout en émettant d'occasionnels « ah-ha » avec sa bouche, pour bien montrer qu'elle m'écoutait.

Puis le téléphone a sonné et elle s'est jetée dessus, d'un seul bond. C'était toi. Elle t'a parlé longtemps, en faisant des « vraiment ? » étonnés, parfois elle éclatait de rire, puis elle a passé le récepteur à papa.

Tu n'as pas demandé à me parler. J'ai mis les assiettes dans le lave-vaisselle et je suis allée lire dans ma chambre.

Tu vois, si maman avait été injuste avec moi, si elle m'avait punie, ou disputée, si elle avait eu l'habitude de ne pas m'acheter les vêtements ou les livres dont j'avais besoin, si elle avait négligé de soigner mes blessures ou refusé de me payer les leçons de patinage ou de poterie que je désirais… j'aurais pu me battre, revendiquer. Dire : mon frère a ceci et cela, et moi ? Et moi ?

Mais ce n'était pas ça. Mon ennemi à moi était indescriptible, invisible, il n'avait pas de nom, il n'était mentionné dans aucun dictionnaire. Pourtant, il était partout. Je ne pouvais pas y échapper. Mon ennemi, c'était moi.

Au lieu de me battre, j'ai donc fini par m'accrocher à toi, par te phagocyter pour profiter de ton rayonnement. Tu ne le sais peut-être pas, mais il suffisait que j'invite une compagne de classe à la maison et que je te la présente pour qu'elle tombe sous ton charme. Même quand tu n'étais encore qu'un adolescent efflanqué.

Il est cool, ton frère, il est drôle, et plus tard : il est beau, Philippe, pas vraiment beau, mais sexy, un peu jeune, mais mûr pour son âge, tu ne trouves pas ?

Combien de fois ai-je été invitée à des soirées à la condition sous-entendue que tu viennes avec moi ? Je soupçonne même mon premier amoureux d'avoir voulu, en fait, se rapprocher de toi. C'était l'année où tu étais devenu le plus jeune président de l'association d'élèves que notre école ait jamais eu. « Tu es la sœur de Philippe ? » demandaient tes copains et tes professeurs avec admiration et étonnement. Immédiatement, je gagnais à être connue.

Il y a combien de temps que tu vis à l'étranger ? Douze ans ? Ou treize ? J'avais pensé te rendre visite quand tu étais en poste à Jérusalem, mais c'était l'époque de la deuxième intifada, il y avait tous ces attentats, et j'ai eu peur. À l'époque, tu t'étais moqué de moi : tu vivais là-bas sept jours sur sept, douze mois par an, et je ne m'inquiétais pas pour toi. Alors, je pouvais bien passer une semaine avec toi, non ? Mais je n'ai pas pu. Je n'ai pas su.

Maman est allée, bien sûr, avec papa, tu les as conduits à la mer Morte, et à Haïfa, et à Tel-Aviv. Vous avez marché le long de la via Dolorosa et monté à flanc de montagne jusqu'à l'ancienne forteresse de Massada.

Au retour, ils m'ont montré les photos. Toi devant un véhicule de l'ONU. Toi couvert de boue, avec en arrière-plan les collines roses de la Jordanie. Toi mangeant des grillades, des salades orientales ou des feuilles de vigne farcies. Toi avec maman. Toi avec papa. Toi, toi, toi, toi.

« Tu devrais lui rendre visite », a dit maman, de retour à la maison. J'ai dit non et j'ai eu l'impression que ce refus me permettait, pour la première fois, de m'affranchir de toi. Maman m'a regardée avec son même air surpris, un peu condescendant. Franchement, il n'y avait pas de quoi avoir peur. En plus, il y avait si peu de touristes, c'était le meilleur moment pour visiter ce pays, et cette ville, la ville sainte…

Maman s'est réveillée tout à l'heure et elle a souri. J'ignore à qui elle adressait vraiment son sourire, mais j'ai pris la liberté de croire que c'était à moi. Après, elle a dit : bague, bague. Enfin, c'est ce que j'ai perçu dans son baragouin. C'est drôle, mais parfois elle laisse émerger des mots qui semblent appartenir à une langue inconnue. Peut-être que ce n'est qu'un magma de sons sans signification particulière, la plainte d'une agonisante. Mais peut-être que c'est le yiddish qu'elle a parlé dans son enfance, la dernière couche de peinture sur son pedigree linguistique. Et peut-être que dans sa langue presque morte, comme elle, elle me dit des choses essentielles, que je ne comprends pas.

Cette fois, donc, j'ai compris qu'elle cherchait son alliance. Je l'avais enlevée et posée sur la table de chevet : la bague de mariage avec ses trois anneaux d'or qui s'entrelacent pour former une sorte de fine tresse métallique. Ses doigts sont si maigres maintenant, l'alliance ne cesse de tomber, c'est pour ça que je la lui avais retirée.

Mais comme maman insistait, j'ai fouillé parmi les journaux et les kleenex froissés, j'ai repêché la bague et je l'ai glissée sur son annulaire. Le doigt de l'anneau...

Elle a paru apaisée. Elle s'est rendormie. Inspiration. Expiration. C'est sa principale activité maintenant. Pour le reste, il y a ce soluté qui distille du glucose, des sels minéraux, et parfois de la morphine, directement dans ses veines.

L'autre jour, l'infirmière est entrée dans la chambre et m'a dit : mais allez donc vous reposer un peu, madame, vous allez vous épuiser à force d'être là, assise à côté d'elle. N'y a-t-il pas quelqu'un pour vous relayer ?

Elle ne comprend pas. Mais je VEUX être là. Toute seule. Je veux passer tout ce temps avec maman. Pour une fois, elle n'a pas le choix.

Il y a quelque temps, tu as voulu savoir comment allaient tes nièces. Plutôt bien, merci. Geneviève continue le piano, et elle ne se débrouille pas mal. Quand maman habitait encore dans sa résidence, nous y avons un jour apporté un clavier électronique, et Geneviève a donné un récital dans le grand salon, à côté de la salle à manger. Elle a joué la *Sonate en la majeur* de Schubert, celle que maman jouait pour nous autrefois. Tous les vieux l'écoutaient, ravis. C'était un moment de grâce et de beauté.

Maman semblait heureuse. Elle a serré Geneviève dans ses bras, puis elle s'est tournée vers moi en demandant : « Il est où, Philippe ? » Envolées, la grâce et la beauté.

Si j'ai été agacée ? Mais tu ne l'aurais pas été à ma place ? Je suis là, moi, je lui apporte ses pivoines et ses lilas, je remonte son oreiller et je l'aide à placer ses cheveux, je fais en sorte qu'elle passe du temps avec ses petites-filles et je lui organise ce récital, et elle, quoi ? « Il est où, Philippe ? »

Peut-être Geneviève lui fait-elle penser à toi ? Elle a quelque chose de ton charisme. Elle est vive, drôle, talentueuse. Elle irradie, elle aussi. Et elle sait attirer les regards. Comme si ce gène magique, le gène des gens intéressants, n'avait fait que transiter par moi pour mieux s'exprimer chez ma fille. Mes filles.

J'ai rappelé à maman que tu vivais en Afrique, maintenant, et à son regard flou j'ai compris que ça ne lui disait absolument rien. Tu te rappelles, la grande carte du monde sur le mur du sous-sol ? Nous devions apprendre tous les pays du continent africain, d'ouest en est, du nord au sud, et aussi leurs capitales. Elle organisait des compétitions entre nous et, même si tu étais de deux ans mon cadet, tu gagnais plus souvent que moi. Ouganda ? Kampala. Mali ? Bamako. Je m'en souviens encore, même si je n'y ai jamais mis les pieds.

Tes nièces, donc. Juliette compte prendre une année sabbatique, l'an prochain. C'est ainsi qu'ils appellent ça, les jeunes. Une année pour travailler, voyager. Elle aimerait aller te voir là-bas, au Tchad, pour faire de la coopération bénévole dans un camp de réfugiés du Darfour.

Juliette me parle souvent de toi. As-tu eu des nouvelles de mon oncle Philippe ? Tu es un modèle pour elle. Elle va t'écrire bientôt au sujet de son projet. Je voulais simplement te dire que je suis au courant. Et que je suis d'accord, même si je vais sans doute me ronger d'inquiétude pour elle.

Quand je regarde grandir mes filles, je suis fière, bien sûr. Mais je sais déjà que je deviendrai bientôt une étrangère pour elles. Comme je le suis pour toi, pour maman. Une étrangère en marge de la vie. De LEUR vie.

L'état de maman s'est soudainement détérioré il y a un mois. Jusque-là, elle avait encore toute sa tête, elle prenait plaisir à jouer au rummy avec mes filles et moi. Nous devions parfois lui rappeler les règles (mais non, mamie, ce n'est pas une suite, ça), mais elle était toujours là, avec sa raie légèrement à gauche, sa frange peignée vers la droite et ses ongles, maintenant coupés très court.

Un matin, en poussant sa marchette vers la salle à manger, elle s'est effondrée en plein corridor, évanouie, comme un ballon qui se dégonfle. Rien de cassé, non, mais une forte fièvre, des vertiges, quelque chose qui n'allait plus avec ses poumons. Maintenant la fièvre a baissé, mais maman ne revient pas. Une partie de son esprit est restée là-bas, dans la brume.

Elle a été expédiée à l'hôpital et j'ai pris congé de mon travail pour rester à ses côtés. Les premiers jours, elle t'appelait : Philippe, Philippe. Je lui disais : c'est moi, Sophie, je suis là, maman. Puis elle a cessé de parler.

Elle inspire. Elle expire. Elle râle un peu. Elle flotte dans les vêtements que je me fais un devoir de lui enfiler tous les matins, pour la dignité. Je change sa couche quand les préposés sont trop occupés, c'est-à-dire plusieurs fois par jour. Je ne sais pas combien de temps ça va durer. Le médecin dit qu'elle pourrait mourir demain. Ou dans quatre mois. Qui sait?

La mort est beaucoup plus imprévisible que la naissance. Parfois, un patient veut revoir tous ses proches avant de s'en aller. Il attend. Nous avons ce pouvoir, mais jusqu'à un certain point seulement — c'est ce qu'il a dit, le médecin. Et même lui semble croire que ma présence à moi n'est pas suffisante pour que maman se laisse partir.

Alors, je veille à ses côtés. Qu'elle le veuille ou non, il n'y a que moi. Je sais que je devrais t'écrire, te téléphoner là-bas. Tu viendrais sûrement. Je te connais : tu trouverais le moyen d'atterrir dans cette chambre, vite, en deux ou trois jours, et peut-être même que ta présence la ramènerait brièvement dans le monde des vivants.

J'ai commencé à composer ton numéro à plusieurs reprises. Mais chaque fois, j'ai reposé le combiné.

Je sais que j'ai tort, mais je n'arrive pas à faire autrement. Je sais aussi que tu m'en voudras et tu auras raison. Tout le monde saura que j'ai commis cette faute irréparable : ne pas permettre à mon frère de dire adieu à maman. Et ne pas laisser maman te faire, elle aussi, ses adieux.

Mais tu vois, la colère que j'ai domptée pendant toute ma vie est là, maintenant, tout autour de moi. Elle remplit cette chambre d'hôpital saturée des miasmes de la mort. Elle prend toute la place, elle me tient compagnie, c'est presque comme une personne assise sur le lit de maman. En face de moi.

Pourquoi tu as eu droit à tout, et moi, seulement à des miettes? Par quelle injustice tu avais cette place aux premières loges et moi, un siège de troisième classe dans cette famille que le hasard a voulue la nôtre? Et quel narcissisme t'a permis de croire que ce privilège t'était dû, par la nature même des choses, alors que tu n'as même pas eu le mérite de te battre pour le gagner?

Non, je ne te téléphonerai pas, Philippe. Ce n'est pas raisonnable? Bien sûr que non. Mais avec les années, j'ai épuisé toutes mes réserves de raison.

Parfois, pour meubler le temps, pour remplir ces innombrables microsecondes qui nous séparent de la mort de maman, j'essaie d'imaginer les fausses excuses que je vais donner, plus tard, pour expliquer ton absence au chevet de maman. J'ai essayé de lui téléphoner, mais il ne répondait pas. Je n'arrivais pas à joindre le téléphone satellite. Je lui ai envoyé des courriels, mais ils rebondissaient tous.

Mais je sais que ça ne fonctionnera pas. Il existe mille moyens de te retrouver, même au bout du monde, même dans ce village perdu au cœur de l'Afrique. Alors, pour une fois, il y aura tous ces yeux braqués sur moi. Regardez, la méchante, elle n'a pas prévenu son frère. Cette fois, je serai au centre de l'attention. On dira que j'ai mal agi. On me condamnera. On me montrera du doigt et on me poignardera du regard. Mais au moins, cette fois, on ne pourra pas me reprocher de manquer d'intérêt.

Pour le reste, rassure-toi : je te laisserai prendre toute la place aux funérailles. Tu prononceras de beaux discours et tout le monde te félicitera.

Mais en attendant, c'est non. Non, je ne te préviendrai pas, Philippe. Pas maintenant. Pas AVANT. Seulement après. Quand tout sera consommé. Quand il ne restera plus aucun instant à diviser. Quand il n'y aura plus d'éternité.

Tu as eu maman pendant toute ta vie. Elle n'aura que moi au moment de mourir. Ce sera votre châtiment à tous les deux.

Le jeu des statues

« Écoutez-moi, dit Olivier, j'ai une histoire à vous raconter. »

Sa voix se déploya dans la salle à manger, couvrant les bruits de couverts et les conversations qui se déroulaient, en parallèle, aux deux extrémités de la table.

Olivier était la dernière conquête de ma meilleure amie, Brigitte. Il avait une mâchoire carrée, des sourcils chaotiques et une présence forte, dépourvue de timidité.

C'était le genre d'homme à se placer spontanément au centre de l'attention, comme s'il était naturel qu'à peine immigré dans notre groupe, grâce à sa liaison avec Brigitte, il en soit devenu le pôle principal, celui qui donne le ton des soirées et oriente les conversations.

Tout, chez Olivier, était vaste : sa voix qui cascadait avec un grondement hormonal, ses mains dotées de doigts monumentaux, son rire qui lui faisait produire des sons stridulants, tandis que l'air sifflait en pénétrant dans ses bronches. C'était comme s'il y avait eu de la matière en excès le jour de sa conception. Comme si le responsable de l'inventaire avait oublié d'ajuster le débit, ou de compter les cordes vocales.

De toute évidence, Olivier avait l'habitude de dominer, et nous le laissions faire sans protester. Pourtant, il nous irritait, et nous le critiquions souvent entre nous, en son absence. Seulement, il y avait Brigitte. Brigitte la naufragée, rescapée de tant de déconfitures sentimentales. Brigitte qui posait sa tête sur l'épaule d'Olivier avec une sérénité que nous ne lui avions jamais vue.

Alors oui, nous avions laissé Olivier s'installer parmi nous, prendre toute la place qu'il s'était octroyée avec la finesse d'un rouleau compresseur. Tel était le prix du bonheur de Brigitte, et nous avions tacitement accepté de le payer sans rechigner.

Ce soir-là, Olivier était égal à lui-même : assuré, excessif et théâtral. « Chut ! » insista-t-il, puis il se leva et posa ses paluches sur les épaules de mon amie. Celle-ci ferma les yeux et pencha légèrement la tête. Une frange de cheveux s'abattit en biais sur son front, tandis qu'un sourire surgi d'on ne sait où illumina son visage. Olivier se dressait maintenant de toute sa hauteur derrière Brigitte, avec l'air satisfait du maçon qui lisse de sa paume rugueuse sa toute dernière rangée de briques.

Je chassai le malaise que m'inspira ce geste d'appropriation amoureuse, puis j'entrepris de vider les assiettes, et les os de l'osso buco cliquetèrent sur la porcelaine. Olivier me lança un regard orageux. Je reposai les plats.

« C'est l'histoire de ma cousine Valérie, dit-il, et sa voix put enfin se propager sans obstacle. Valérie, donc, est pas mal plus vieille que nous, elle doit avoir autour de cinquante-cinq ans. Mariée depuis toujours, bungalow à Boucherville, deux enfants déjà adultes, deux autos, grand jardin, garage double, ce genre de trucs. Il y a une dizaine d'années, Valérie et son mari ont acheté une quincaillerie, et depuis ils y passaient des journées interminables à vendre boulons, pelles et décorations de Noël. Entre le magasin et la maison, ils étaient ensemble du matin au soir. »

Olivier s'arrêta, pigea une olive dans un bol, la suça et posa le noyau dans l'assiette de Brigitte. Puis il poursuivit la description de ce couple, heureux en apparence, qui servait d'exemple à toute la famille : voyez comme ils ont réussi, les enfants ont fait de belles études, ils viennent manger à la maison tous les dimanches.

De temps en temps, Valérie et son mari se payaient le luxe d'une sortie au restaurant, ou d'un voyage dans le Sud. Jamais longtemps, à cause du magasin.

Pourtant, depuis que les enfants avaient quitté la maison, Valérie n'allait plus. Le soir, une fois qu'elle avait rempli le lave-vaisselle, essuyé la table et rangé tout ce qu'il y avait à ranger, elle tournait dans la maison, incapable de trouver un endroit où se poser. Tout cet espace vide, tel un vêtement trop ample, flottait sans fin autour de son corps.

Le silence qui remplissait sa maison lui paraissait palpable et terrifiant. Il avalait tout, y compris cet homme avec qui elle avait vécu toute sa vie d'adulte et qui, désormais, l'horripilait. Ses ronflements, la manière dont il ponctuait chacune de ses phrases en reniflant, les poils noirs et drus qu'il laissait au fond du lavabo, sa démarche lourde : tout ce qui en émanait lui était devenu insupportable.

Et puis, il y avait sa façon de se renfrogner, ses petites mesquineries, les pourboires minimalistes qu'il laissait au serveur, les rares soirs où ils dînaient au restaurant, les soirées qu'il passait scotché devant la télévision, enseveli sous son abdomen dont la courbe rivalisait avec les coussins du sofa.

Était-ce nouveau ou avait-il toujours été comme ça ? Valérie ne le savait plus. Mais elle ne voyait pas comment elle allait pouvoir vieillir aux côtés de cet homme qui, à tort ou à raison, la rebutait. Tout comme les vis, les clous, les rangées d'ampoules, les faux sapins, les marteaux et les tondeuses qui remplissaient sa vie et bouchaient son horizon.

Un jour, alors qu'elle était en train de peler des pommes pour la croustade qu'elle comptait servir à ses filles le week-end suivant, le téléphone sonna, et une voix indifférente lui annonça que « quelque chose n'allait pas dans sa mammographie ». Le Dr R. souhaitait la rencontrer de toute urgence, dit la voix avant de raccrocher.

Elle répondit mécaniquement, accepta le rendez-vous fixé pour le mardi suivant, ce qui était plutôt étonnant étant donné que l'agenda du médecin était habituellement rempli plusieurs mois à l'avance. Elle n'aimait pas ce que suggérait cette soudaine efficacité, mais ça ne servait à rien de s'inquiéter à l'avance. Alors elle mit la croustade au four, en se reprochant de ne pas avoir mis assez de sucre, ce qui risquait de rendre le plat trop acide. Puis elle nettoya la cuisine et frotta le comptoir avec une vigueur inhabituelle.

Sous la douche, elle tâta son sein gauche. Le renflement qu'elle y avait décelé, quelques semaines plus tôt, n'aurait-il pas dû l'alerter? Quand son mari vint la rejoindre dans leur lit immense, elle roula jusqu'au bord du matelas et fit semblant de dormir. Elle ne dit rien le lendemain, ni le jour d'après. Ni le jour où elle rentra de la clinique avec ce mot tonitruant et implacable qui venait de prendre possession de sa vie : cancer.

Ce soir-là, à table, son mari lui annonça que la quincaillerie se trouvait en rupture de stock d'accessoires de barbecue. « Tu imagines, l'été vient à peine de commencer et il fait si chaud, tous nos clients veulent faire des grillades. Il faudra voir à commander les bonbonnes de propane, tu vas y penser? »

Elle répondit « Oui, bien sûr », d'une voix qu'elle ne se connaissait pas. Les ensembles à brochettes, le nettoyant pour grilles, les briquettes, Valérie se demandait comment ces mots routiniers faisaient pour parvenir jusqu'à ses lèvres alors que son esprit était submergé par un vocabulaire médical menaçant. Scanner. Tumeur. Biopsie.

Il y eut d'autres tests, et tous penchaient dans la mauvaise direction. Valérie mentit à son mari, prétextant une lassitude saisonnière — « Tu sais comme on peut être fatigué, au printemps » —, elle raconta qu'elle avait une occasion à ne pas rater, une semaine pour presque rien à Varadero. Puis elle atterrit dans une chambre d'hôpital où, sous la lumière blafarde des néons, le médecin lui assena le pire des diagnostics.

Les mots se bousculèrent dans sa tête : cancer invasif, métastases, chimiothérapie qui ne servirait qu'à prolonger sa vie de quelques mois. Un an ou deux, peut-être.

Pendant un moment, elle eut l'impression de rêver. Mais non, c'était bien vrai et c'était bien elle, vêtue d'une jaquette d'hôpital bleue, fendue dans le dos — elle qui était encerclée de murs beiges dont l'unique fenêtre donnait sur une paroi de ciment craquelé. Et c'était bien elle qui voyait, dans le regard du médecin, l'image de sa prochaine agonie.

Elle passa plusieurs heures sans bouger, la tête vide, le regard fixé au plafond. Il n'y avait pas d'échappatoire. Que ce tunnel étroit qui la conduisait vers une issue inéluctable. « Voulez-vous appeler votre famille ? » suggéra le médecin. Surtout pas, surtout pas, pensa Valérie.

Puis elle prit une décision qui en était à peine une, tant elle s'imposa avec évidence : ces quelques mois ou, avec un peu de chance, ces quelques années qui lui restaient, elle les vivrait seule, sans ce mari qui, elle le comprenait maintenant, ne l'avait jamais rendue heureuse.

C'était comme si la perspective de la mort avait tout à coup jeté un éclairage cru sur toute sa vie. Jusque-là, tout n'avait été que fuites, accommodements et compromissions. Désormais, elle vivrait dans la lumière et la vérité.

Elle rentra chez elle pour assener le double choc à son mari : oui je suis malade, et non je ne veux pas que tu t'occupes de moi. Je n'irai plus à la quincaillerie, non plus, je ne t'ai jamais dit que je ne supportais pas cet endroit ?

Elle s'étonnait de sa propre froideur, de son ton cassant. Puis elle fit quelques appels téléphoniques, choisit un appartement tout meublé dans une tour du centre-ville. Le jour du déménagement, elle rangea son ordinateur portable, jeta quelques vêtements dans une valise — après un moment d'hésitation, elle laissa le manteau d'hiver dans la garde-robe — et s'engouffra dans un taxi, laissant toute sa vie derrière elle.

* * *

Nous écoutions Olivier en nous demandant en quoi la maladie de sa cousine nous concernait et pourquoi il gâchait notre soirée avec cette histoire déprimante. Il s'exprimait comme un conférencier, regardait à gauche, puis à droite, avec des pauses pour prendre une gorgée de vin et aiguiser notre curiosité.

Les restants d'osso buco refroidissaient dans nos assiettes. Quand donc avais-je fait mon dernier auto-examen des seins ? Je me promis d'y procéder le soir même. Les verres étaient vides ; j'éprouvai le besoin de sentir la morsure de l'alcool dans ma gorge. Plus personne ne parlait, et Olivier parut prendre plaisir à faire durer le silence. Puis il reprit son récit.

Valérie se sentit mieux après plusieurs semaines de traitement chimique au cours desquelles elle refusa systématiquement de voir son mari.

Ses filles étaient venues l'aider, elles avaient tenu sa main pendant qu'elle vomissait dans la cuvette, elles l'avaient accompagnée au magasin de perruques et avaient nettoyé ses oreillers couverts de cheveux morts. Elles avaient aussi essayé de la raisonner : tu ne peux pas imaginer dans quel état il est, papa, tu ne peux pas lui faire ça.

Mais apparemment, elle le pouvait, et il n'y avait rien pour la faire fléchir. Puis Valérie s'envola pour Cuba, cette fois-ci vraiment, avec des romans policiers, un bikini et des cheveux tout neufs. Dans son hôtel tout compris, elle rencontra un veuf. Il s'appelait André, c'était un policier récemment retraité. Deux semaines après leur retour à Montréal, il s'installa dans l'appartement de Valérie. Elle n'avait jamais été aussi heureuse. Pour l'instant, le cancer était assoupi. Pour l'instant seulement, bien sûr.

* * *

Je débouchai une bouteille, puis une deuxième : je n'étais pas la seule à avoir soif. Nous bûmes en silence tandis qu'Olivier se rasseyait sur sa chaise, l'air content, la lèvre supérieure légèrement relevée dans un demi-sourire ironique. Quelques gouttes de sueur perlaient au-dessus de la ligne noire de ses sourcils. C'est quand il affichait cette expression de chat repu que je l'aimais le moins. Pourquoi donc nous avait-il raconté tout ça?

« Quelle belle histoire ! » lançai-je, moitié parce que c'était ce que je croyais, moitié pour rompre le silence.

« Belle ? Pourquoi donc ? » demanda Olivier, et j'eus brièvement l'impression de subir un examen. Puis je me lançai : « Eh bien, Valérie connaîtra le bonheur avant de mourir. Ça montre bien que tout est toujours possible, à chaque instant de notre vie. Qu'on peut rencontrer l'amour partout, même dans un foyer de vieillards, même à quatre-vingt-dix ans ! Qu'il ne faut jamais désespérer, que la vie peut toujours nous surprendre, à la condition, bien sûr, que nous ayons des yeux pour voir, un cœur pour sentir et du courage pour agir. »

Je parlais vite, emportée par mon enthousiasme, remarquant à peine le regard étonné que me lançait Michel, l'homme qui partageait ma vie depuis dix ans, et qui me fixait avec perplexité, comme s'il venait tout juste de s'apercevoir que j'étais bossue, ou que j'avais perdu toutes mes dents. Mais qu'avais-je donc dit pour susciter son étonnement ?

Michel toussota, alla chercher le plateau de fromages, plaça des figues et des tranches de poire entre la masse orangée de la mimolette et le stilton. J'admirai brièvement l'harmonie des couleurs dans l'assiette, puis je l'entendis demander : « Porto ? Cognac ? »

« Et si on dansait ? » proposa Lizzie. De nous tous,

elle était la plus jeune, elle venait de New York et vivait avec Jean, qui faisait partie de ce que nous appelions le «noyau original»: notre groupe d'amis datant des années d'université, où nous avions étudié les communications, la récréologie et quelques autres disciplines qui étaient à la mode, à notre époque.

Nous avions passé des années à militer, à discuter et à voyager ensemble, avant de louer des chalets et de nous acheter des vélos plus chers que les autos avec lesquelles nous avions autrefois roulé jusqu'au Mexique. Nous avions tous plus ou moins couché les uns avec les autres, puis avec des étrangers qui s'étaient greffés successivement sur notre premier cercle.

Dans ce domaine, Jean avait été le plus insatiable. Responsable des relations publiques dans un grand hôpital, il y avait mené une inlassable quête sentimentale, ratissant tous les étages de cet édifice où il cueillait infirmières, radiologistes et jeunes médecins fraîchement diplômées.

Il ne lui restait plus qu'un étage à conquérir, celui des soins palliatifs — là où allait bientôt se retrouver la cousine d'Olivier! —, lorsque Jean rencontra Lizzie dans une conférence médicale dont il devait rendre compte dans le journal interne de l'hôpital. Sa quête était terminée. Et le ventre arrondi de Lizzie abritait leur premier enfant.

«Bon, puisque personne ne veut danser, je vous dirai, moi, ce que je pense. Moi, je trouve l'histoire de Valérie terriblement triste, dit Lizzie avec son accent étouffé à la Jane Birkin.

— Triste? Pourquoi? fit Olivier.

— Imaginez toutes ces années où Valérie a vécu avec un homme qu'elle n'aimait pas, toutes ces années perdues. Et il lui reste si peu de temps pour profiter de son bonheur. Quel… voyons, Jean, comment on dit ça en français? *What a waste…* Ah oui, quel gaspillage.»

Je pensai que c'était un peu comme ce fameux verre à moitié plein ou à moitié vide, selon le point de vue de celui qui le regarde. Avec moi dans le rôle de l'optimiste, qui ne voit que ce que l'on peut boire, et Lizzie dans celui de la pessimiste, qui constate qu'il n'y en a pas assez pour étancher la soif. La voix qui rompit le silence nous fit comprendre que, d'une certaine façon, Lizzie voyait elle aussi le bon côté des choses. Que le récit d'Olivier pouvait permettre une autre lecture, bien plus noire.

«C'est terrible, c'est terrible, mais pas pour les mêmes raisons», balbutia Paul, dont la voix nous parvint de l'extrémité de la table.

Nous nous tournâmes tous vers lui: ses yeux étaient remplis d'eau et son menton tremblait. Je me rendis compte que Paul n'avait presque pas parlé depuis le début de la soirée. Il s'était contenté de picorer et avait laissé intact l'os gorgé de moelle.

Dans notre groupe, Paul était le seul à n'avoir jamais vécu en couple. Il avait eu des liaisons, du moins c'est ce que nous devinions, mais nous l'avions rarement vu avec une femme. Il avait vécu quelques années à l'étranger, au Chili surtout, où il avait gagné sa vie en enseignant le français. Il y avait, dans ce passé, quelque souvenir tellement douloureux que nous n'osions pas lui poser de questions.

Un jour, il m'avait dit à brûle-pourpoint : « Tu sais, aujourd'hui, c'est le quinzième anniversaire de mon fils, mais je ne sais même pas où il vit. » Son regard s'était voilé et son silence avait opposé un mur infranchissable à ma curiosité.

Paul avait parcouru le monde, marché sur l'Annapurna et le mont Kilimandjaro, fait du kayak au Groenland et du ski dans la neige poudreuse de l'Utah. Il avait toujours des photos à nous montrer et le récit de ses aventures remplissait nos soirées. Jusqu'à ce qu'Olivier en prenne le contrôle, bien sûr.

Naïvement, nous avions cru que Paul était affranchi de tout besoin d'attachement, et il nous arrivait parfois d'envier un peu sa liberté. Ce soir-là, pourtant, en une seule phrase, il nous fit comprendre que ce que nous interprétions comme un signe d'indépendance n'était, en fait, que de la pudeur.

« Je ne saisis pas, reprit Paul, que Valérie, même dans sa situation, malade, le corps ravagé par la chimiothérapie, ait pu faire une rencontre amoureuse. C'est affreusement injuste. Parce que moi, qui suis bien portant, je n'y arrive pas. Que des pétards mouillés, que des trucs foireux. »

Nous parlâmes tous en même temps, les uns par-dessus les autres. Voyons, Paul, tu ne peux pas voir les choses comme ça, tu n'as pas le droit, tu vas voir, tu vas faire LA rencontre qui va transformer ta vie, comme ça nous est tous arrivé, à nous, à un moment ou à un autre. Tu as une vie si passionnante, si fascinante...

Seul Olivier se taisait. Il affichait l'air d'un général en retrait de la bataille. Ses doigts flattaient machinalement les cheveux de Brigitte, tels cinq boas obèses grouillant dans une forêt rousse.

Je noyai un restant de vin rouge avec du cognac et mon verre déborda sur la nappe fleurie. J'épongeai le liquide avec la manche de ma robe. J'étais furieuse contre moi-même. Comment avais-je pu, pendant toutes ces années, m'aveugler à ce point? Ne pas voir cette solitude qui formait maintenant un halo compact et vibrant autour de Paul?

Olivier se tourna alors vers Jean, l'interrogeant du regard. Tiens, c'est vrai, Jean, le creuseur, le chercheur d'or désormais au repos, que penses-tu donc de l'histoire de Valérie?

« Oui, oui, je sens ses coups de pied », dit Jean qui avait placé sa main sur le ventre de Lizzie. Celle-ci avança la tête en souriant. « Oui, Jean, tu en penses quoi, toi, de la cousine d'Olivier? »

Était-ce le fruit de mon imagination ou y avait-il une pointe d'inquiétude dans la question de Lizzie? Car si Jean devait se réjouir de l'ultime histoire d'amour de Valérie, s'il y trouvait un aspect positif, cela signifiait peut-être qu'il pourrait, lui aussi, plonger du jour au lendemain dans une nouvelle vie? Reprendre, en quelque sorte, son vieux bâton de pèlerin? Qui pouvait garantir qu'il était désormais immunisé contre tout risque de rechute?

Jean s'avança sur ce champ de mines avec prudence.

« C'est une histoire terrible pour le mari de ta cousine, dit-il finalement en se tournant vers Olivier. Imagine : il n'avait rien vu venir. Et tout à coup, il se rend compte qu'il ne mérite même pas de prendre soin de la femme qu'il aime. Ce que nous en savons a été filtré par le regard de Valérie, n'est-ce pas ? Mais ce n'est pas un regard neutre. Peut-être que son mari est un homme bon et généreux ? Peut-être qu'il n'est pas vraiment responsable de la fuite de sa femme ? Peut-être que c'est une chipie, une mégère, qu'il se démène pour lui donner une belle vie, et qu'est-ce qu'elle trouve à faire ? S'envoyer en l'air avec un policier. Et en plus, comme Valérie est malade, son mari ne peut même pas se permettre de lui en vouloir. Je veux dire : comment peut-on être fâché contre une femme condamnée à mourir ? Il est privé de tout, même de son droit à la colère. Ça ne se fait pas. Si elle voulait partir, elle n'avait qu'à le faire avant !

— Mais *how do you know that* ? s'exclama Lizzie, mélangeant l'anglais et le français, comme chaque fois qu'elle était bouleversée. Mais qui es-tu donc pour juger Valérie ? Comment peux-tu être certain que son mari l'aimait ? Peut-être était-il content, au fond, qu'elle s'en aille ? Soulagé de ne pas la voir dépérir, de ne pas avoir à l'accompagner dans son déclin ? Peut-être qu'il ne l'aimait que si elle était en santé, et que c'est pour ça qu'elle est partie, pour ne pas sentir les efforts qu'il devrait faire pour s'occuper d'elle ? *Come on*, Jean. »

Lizzie s'emporta, avec une intensité que je lui avais rarement vue. Ses joues s'empourprèrent. Elle se leva et des miettes de pain restèrent accrochées à sa robe moulante. Elle les balaya avec la paume de sa main, puis elle dit : « Je vais préparer du café. »

Je voulus partir à sa suite, mais je titubai et me rassis. La pièce tournait légèrement. « Ça va ? me demanda Michel.

— Oui oui, ça va, je pense que j'ai un peu trop bu. » Je me versai un autre verre de cognac. Michel me conseilla d'arrêter de boire, et je lui dis de se mêler de ce qui le regardait. Tous les visages étaient tendus, maintenant. Puis Brigitte émergea brièvement de sa torpeur amoureuse.

« Je suis sûre que Valérie est partie à cause du choc qu'elle a ressenti en apprenant qu'elle souffrait d'un cancer aussi fulgurant. Imaginez, découvrir du jour au lendemain que vous allez mourir… C'est une fuite, une réaction post-traumatique, peut-être. Mais elle va revenir. Si son mari sait faire preuve de patience, s'il réussit à surmonter sa colère, elle passera les derniers mois avec lui, j'en suis convaincue », dit Brigitte avec une pointe de supplication dans la voix.

Personne ne l'écoutait. La cafetière soufflait des volutes de vapeur pendant que Lizzie faisait mousser le lait. Des voix fusèrent : je prends un allongé, as-tu du déca, de la tisane, ah non, tout sauf la camomille, donc un, deux, trois cappuccinos, avec du sucre, pas de sucre ?

Pendant quelques minutes, nous oubliâmes Valérie, son sein dévasté, ses métastases et ses amours. Après tout, pourquoi devions-nous nous soucier du sort de la cousine d'Olivier ? Nous fîmes circuler tasses, cuillères et biscuits. Je tranchai le fondant au chocolat et le disposai dans de petites assiettes, puis je le nappai d'un coulis de fraises. Les portions de dessert circulèrent autour de la table. Une pluie de printemps fouetta les fenêtres et lava les restants de neige dans la cour. Michel se racla la gorge et parla de sa voix un peu rauque, éraillée :

« Imaginez un peu le genre d'homme qui tombe amoureux d'une cancéreuse en phase terminale. Entre nous, c'est sûrement un tordu, un type qui n'a pas de vie, un minable. Valérie croit qu'elle a rencontré l'amour, mais elle se trompe. C'est un policier retraité, vous avez dit ? Pour moi, l'histoire est claire. Il se sert de Valérie pour donner un sens à sa vie. Il remplit un vide. Il a besoin de sauver quelqu'un, mais c'est lui-même qu'il sauve, en réalité. Et même s'il présente toutes les apparences du dévouement, en fait, il se sert d'elle, il s'accroche à cette femme malade comme à une planche de salut. C'est un abuseur, un imposteur, un marchand d'illusions qui s'approprie sa maladie et sa mort. »

Michel cessa de parler et la salle à manger plongea dans un silence pesant. Sa bouche prit un pli dur, amer, qui ne lui ressemblait pas. Lizzie se leva, les deux mains appuyées sur ses reins, elle se cambra et bomba son ventre. Puis elle ordonna : « Rentrons. »

Jean lui prit la main, mais elle la repoussa. Je les reconduisis jusqu'à la porte, ils fouillèrent parmi les manteaux, mais non, ce n'est pas le mien, voyons donc, tu ne sais même pas reconnaître le manteau que je porte tous les jours depuis un mois ? Ils s'habillèrent à la hâte, pressés de partir.

« Il était excellent, l'osso buco, dit Jean.

— Comment tu appelles le truc que tu mets sur la viande, tu sais avec de l'ail et du persil ? demanda Lizzie. Ah oui, gremolata. »

Le temps de préciser qu'il fallait aussi du zeste de citron et ils étaient déjà dehors.

Tout le monde voulait partir, maintenant. Foulards, gants, bottes, vestons. Je remarquai que Paul avait mis des couvre-chaussures en caoutchouc et je me dis que, décidément, nous vieillissions. Nous n'avions ni dansé ni écouté de la musique. Seulement cette conversation stupide.

Olivier me tendit la main en partant, mais je me contentai de lui faire un signe de loin. « Faites attention, il est tard, vous êtes sûrs que vous n'avez pas trop bu ? »

Quand tout le monde fut parti, je rejoignis Michel dans la cuisine. Il sirotait un verre d'armagnac, fumait une cigarette et me regardait de biais, avec un air las. Il avait les paupières tombantes, et la ride qui creusait sa joue faisait ressortir un début de double menton.

Lorsque nous fûmes couchés, il dit : « Il est bizarre, cet Olivier », puis il me tourna le dos et émit deux pets qui projetèrent un courant chaud sous la couette. Il s'endormit aussitôt. Je restai éveillée, incapable de fermer l'œil. En dix ans, Michel et moi avions partagé tout ce qu'un couple formé tardivement, alors que chacun traîne déjà son lot de bagages, peut partager dans la vie. Les crises d'adolescence en série. Les maladies des parents. Les inquiétudes pour les uns et les autres. Les bulles de bonheur au bout du monde. Deux maisons qui se fondent en une. L'arrimage de deux services de vaisselle, de deux groupes d'amis, de nos habitudes de vie. Cette nuit-là, pour la première fois depuis dix ans, j'eus envie de dormir seule.

D'où venait donc le cynisme avec lequel Michel avait détruit en quelques mots l'histoire d'amour de Valérie ? Était-ce l'expression de sa propre conception des relations humaines ? Une conception si étriquée qu'elle ne laisse aucune place à la pureté des sentiments ? Est-il vraiment incapable de croire qu'on puisse aimer au-delà de tout, au-delà de la maladie et de la mort ? Pense-t-il réellement qu'il faut être pervers ou, comment avait-il dit ? ah oui, tordu, pour en arriver là ?

En quoi Michel est-il alors plus aimable que le mari de Valérie ? En quoi NOTRE histoire est-elle supérieure à la leur ? Et s'il m'avait rencontrée, MOI, déjà malade et cancéreuse, m'aurait-il aimée ? Ou aurait-il eu la santé mentale de ne pas me remarquer ? de fuir à toutes jambes ?

Finalement, qu'est-ce que tout ça dit de lui ? de nous ? de la manière dont nous vieillirons ensemble — ou pas ?

Quelque chose s'amorça, cette nuit-là, qui rendit notre vie commune impossible. L'agonie dura plusieurs mois, durant lesquels je cherchai parfois dans le visage de Michel les traits de l'homme que j'avais aimé. Je ne les trouvai pas.

Pendant les mois qui suivirent notre séparation, j'évitai mes amis du « noyau originel », y compris Brigitte, qui ne s'en rendit même pas compte, du fond de sa béatitude amoureuse. Je vivais dans une sorte de stupeur, incapable de comprendre ce qui s'était vraiment passé. Avais-je rêvé ces dix années de vie partagée ? Je retrouvai mes vieilles habitudes de célibataire, les journées en pyjama, les vidéos avec les copines, les nuits dans un lit rempli de journaux froissés, de magazines et de miettes de muffins.

Puis, un jour, je reçus un coup de fil de Paul. « Es-tu libre ? Je passe te voir », annonça-t-il sans me laisser le temps de répondre.

Nous bavardâmes de choses et d'autres, puis il dit : « Tu te rappelles ton souper, le soir où Olivier nous avait raconté l'histoire de sa cousine ? »

Et comment, que je m'en rappelais ! Je lui expliquai rapidement l'impact que cette soirée avait eu sur ma vie. Paul me confia que de son côté, peu de temps après, il avait rencontré une femme et que maintenant, eh bien, il croisait les doigts pour que tout continue à bien aller entre eux.

« Tu comprends, j'avais été longtemps si fuyant et capricieux, et ce soir-là l'histoire d'Olivier m'a ouvert les yeux, j'ai compris que je n'avais plus de temps à perdre, que c'était à moi de jouer… »

Mais enfin, ce n'était pas pour ça qu'il était venu. Il me tendit un vieux magazine de psychologie et me confia qu'il l'avait subtilisé dans la salle d'attente du dentiste où il venait de subir un traitement de canal.

« Bon, regarde, lis ça. »

Devant moi, sur du papier glacé, s'étalait l'histoire de Valérie. Sauf qu'elle ne s'appelait pas Valérie et que, si elle avait un cousin, l'article ne le mentionnait pas. Son auteur décrivait bien l'histoire d'une femme condamnée par une maladie foudroyante, qui quitte un mari qu'elle n'aime plus pour vivre une ultime passion. Mais il s'agissait d'un personnage entièrement fictif. L'article relatait en réalité une expérience où ce récit, décrit comme « le dilemme de la femme malade », pouvait agir comme une sorte de catalyseur des tensions qui minent les fondements d'un couple. Le sujet de l'expérience peut se projeter sur cette trame et la lire à travers la lunette de ses propres expériences et frustrations. « Tu comprends ? Ils font ça pour obtenir ce qu'ils appellent une "révélation", mais ça n'a rien à voir avec la religion. Non, c'est plutôt comme le révélateur qui ferait apparaître des images sur du papier photographique. Les images existaient avant, elles étaient toutes là, à l'état latent, comme des fissures dans des fondations. Mais il faut le catalyseur pour les faire émerger, leur donner des formes. Pour les voir. »

Paul parlait vite, ne me laissant pas le temps de lire le reportage, et je l'écoutais en tournant sans les regarder les pages du magazine. Des psychologues recourent parfois à cette technique dans les thérapies de couple, expliqua-t-il. C'est une manière de cristalliser les conflits, d'obliger les gens à nommer les choses à travers l'histoire d'un couple imaginaire. Olivier avait dû lire ça quelque part, il s'était inventé cette cousine, Valérie, et s'était servi de nous comme cobayes…

Je regardai autour de moi : c'était la même cuisine, la même salle à manger où nous avions partagé, il n'y avait pas longtemps, un délicieux osso buco. Je revis Olivier, son sourire de chat qui joue avec des mulots — nous, en l'occurrence. La colère me fit battre les tempes. Mais pour qui se prenait-il, cet imbécile, cet être fat, pour avoir osé sauter à pieds joints dans nos vies et tirer sur les ficelles les plus fragiles ?

« Tu es fâchée ? demanda Paul.

— Bien sûr. Tu ne le serais pas, toi ? » Puis je me rappelai que Paul avait, au contraire, toutes les raisons de se sentir reconnaissant, alors je me tus. Je versai de l'eau chaude sur le café et j'écrasai le filtre de métal jusqu'au fond du contenant de verre. La machine à espresso était partie avec Michel, tout comme son ensemble de couteaux et sa télé à écran plat. Puis je pris une grande inspiration.

« En fait, ce qui est arrivé devait arriver. Puisque tout était latent, quelque chose nous aurait catalysés, tôt ou tard, Michel et moi. Non ?

— Probablement », fit Paul. Puis il avala son café et s'en alla en promettant de me rappeler bientôt. « Tu viendras à la maison, je voudrais que tu rencontres ma blonde », dit-il en savourant la sonorité de ce mot : blonde. Je le laissai partir sans le reconduire jusqu'à la porte.

Je restai longtemps sur mon tabouret, hébétée.

Croyais-je vraiment ce que je venais de dire à Paul? Toute cette histoire de catalyse… Si Michel n'avait jamais dit ce qu'il avait dit, nous serions peut-être encore ensemble, ignorant les démons qui avaient réussi à se soustraire, pendant toutes ces années, à cette « révélation » fumeuse.

Et puis, si ces démons ne s'étaient jamais manifestés AVANT cette soirée ratée, c'est qu'ils n'étaient sans doute pas si puissants que ça. Peut-être étaient-ils en partie imaginaires, eux aussi, comme Valérie, la fausse cousine d'Olivier?

Je composai le numéro de Michel, mais je raccrochai avant la sonnerie. En fait, si cette soirée nous avait fait basculer, c'est probablement parce que le doute était déjà là, au fond de nous. Toutes ces fois où Michel m'exaspérait, sa lenteur, la précision maniaque qui marquait tous ses gestes…

Je passai des soirées à contempler le téléphone. Appeler? Ne pas appeler? Maintenant que je savais que j'avais été victime d'une supercherie, n'avais-je pas le devoir d'en informer l'autre victime: Michel? Ou peut-être devais-je d'abord avertir Brigitte, lui faire comprendre qu'elle s'était amourachée d'un manipulateur? la mettre en garde contre les ravages qu'il causait sur son passage?

Il y avait si longtemps que nous nous étions parlé que j'eus de la peine à me rappeler son numéro de téléphone. Je tombai sur la boîte vocale. « Vous êtes chez Brigitte et Olivier, laissez-nous un message », disaient leurs voix, dans un duo enjoué.

Mon amie n'avait donc plus d'existence propre? Je remis le combiné sur son support, sans avoir prononcé un mot. Puis j'eus l'idée de lui envoyer un courriel, mais je me dis : à quoi bon? Après tout, c'est elle qui avait mis sur mon chemin le bulldozer qui venait de détruire ma vie. Et elle n'avait même pas songé à prendre de mes nouvelles depuis. Non, il n'y avait plus rien à attendre de sa part.

Alors, je repensai à Michel, et le souvenir de tout ce qu'il m'avait dit, et de tout ce que je lui avais crié au moment de nous laisser, remonta à la surface. Les accusations, les insultes. Tous ces mots qui rendent les ruptures possibles. Moi, une manipulatrice hypocrite? une femme perfide? un éteignoir sexuel? Qu'il me téléphone, lui!

Mais peut-être qu'il ne pensait pas vraiment tout ça? Peut-être que l'expérience d'Olivier nous avait jeté un genre de sort? Que nous y avions joué un rôle qui n'était pas le nôtre?

Quand j'étais petite, nous avions un jeu qui s'appelait «les statues». Le meneur nous faisait dos, et nous avancions vers lui en gesticulant. Quand il se retournait, nos corps devaient se figer dans la pose qui était la nôtre, même la plus précaire et improbable, au moment précis où son regard tombait sur nous.

N'était-ce pas ce qui était arrivé ce soir-là, chez moi — chez nous? Le regard d'Olivier nous avait figés, Michel et moi, en une sorte de pantins désarticulés, une parodie de couple en crise qui n'avait rien à voir avec ce que nous étions vraiment.

Oui, c'était ça, maintenant j'en étais convaincue. Un samedi après-midi, je composai le numéro du portable de Michel, et je souris intérieurement en entendant la sonnerie familière. Au bout de quatre coups, on décrocha. Allo, fit une voix jeune et joyeuse. Une voix de femme.

Je demandai si c'était bien le numéro de Michel. Oui, c'était bien lui. « Michel est sous la douche, roucoula la voix en me proposant de lui transmettre mon message. Qui est à l'appareil ? »

Les mots restèrent coincés dans ma gorge. J'imaginai Michel, émergeant de la salle de bain, une serviette blanche nouée autour de la taille. Il me tend la main et m'attire contre lui. Sa peau mouillée humecte ma chemise de nuit.

Je ne parlais toujours pas. « Allo ! Allo ! » s'énerva la voix. Puis le déclic du téléphone. Et le silence.

Olivier pouvait être content : son expérience avait vraiment bien marché.

Un prénom simple

Nous roulons depuis des siècles sur un chemin de terre qui monte et qui tourne. De temps en temps, un virage brusque me projette contre la portière. Des branches frappent les flancs de la Plymouth flambant neuve — elle sera vraiment à nous dans trois ans, le crédit, c'est comme épargner à l'envers, a dit papa le jour où il m'a montré avec fierté notre toute première auto, avec sa carrosserie rutilante et ses banquettes couvertes de cuir beige qui sent l'Amérique.

La fumée de la cigarette de maman me pique les yeux. Un oiseau que nous n'avons pas vu passer laisse tomber une masse gluante sur le pare-brise. « Aïe », fait maman. La fiente pousse ses pointes dans toutes les directions, puis elle se fige, avant de tracer des traînées blanchâtres sur la vitre, arc-en-ciel monochrome peint par l'essuie-glace.

À quelques reprises, la route semble émerger du bois, puis elle bifurque, reprend son ascension et s'enfonce au milieu des bosquets. À droite, des bouleaux et des épinettes. À gauche, des épinettes et des bouleaux. La forêt est touffue, le soleil peine à propulser ses particules lumineuses jusqu'au sol hérissé de ronces.

Quand j'étais petite, les bois étaient transparents et clairs, des aiguilles de pin séchées tapissaient le sol, il y avait de l'espace pour marcher et des clairières pour s'étendre au soleil sur une couverture de laine, avec un livre, des œufs durs, des tranches de concombre et du saucisson.

Rien de tel, ici. Que des feuillages enchevêtrés, des griffes piquantes, des épines. Le chemin est raboteux, il y a des trous et des bosses, des pierres, des souches. Une auto qui roule en sens inverse nous frôle de trop près, elle accroche notre rétroviseur, qui se tord avec un couinement métallique.

Devant nous, les arbres forment un mur opaque, on dirait que nous fonçons sur la masse sombre de la forêt. Mais au dernier moment, les branches s'écartent et nous laissent passer, avant de se refermer derrière nous. Par la vitre arrière, je vois les deux pans de la forêt qui se ressoudent sur notre passage, telle la fermeture éclair de mon imperméable neuf : détachée, rattachée.

L'angoisse me noue le ventre. Si je pouvais tomber malade, avoir une poussée de fièvre, on me ramènerait à la maison. Je touche mon front : il est tiède. Je tousse un peu, j'avale avec force. Je n'ai pas l'ombre d'un mal de gorge, pas la moindre nausée.

Je n'échapperai donc pas à ce camp de vacances qui, selon mes parents, devrait me faire le plus grand bien. « Tu dois rencontrer de nouveaux amis, faire un effort pour t'intégrer », m'a presque ordonné maman le soir où elle a cousu les bandelettes d'identification sur mes vêtements. Mon nom de famille est interminable, avec plein de consonnes, des « s », des « z » et, pour couronner le tout, un « w » en plein milieu. Même en toutes petites lettres, il occupe deux rangées sur les étiquettes.

Maman cousait, donc, tout en me donnant des conseils, pendant que papa formait des ronds de fumée avec sa gitane sans filtre, pour me faire rire. Ils se jetaient des regards par-dessus ma tête. Ceux de maman disaient : « Laisse-nous donc parler sérieusement, arrête donc de tout tourner en blague. » Les yeux de papa disaient : « Laisse-la donc tranquille, arrête de la harceler avec ça. »

M'intégrer, me faire des amis, devenir une fille comme les autres, celles qui reluquent les garçons en léchant un cornet de crème glacée molle, au casse-croûte en bas de la côte. Leur jupe s'arrête à un pouce au-dessus du genou, comme l'exige la directrice qui nous attend avec sa règle à l'entrée de l'école. Après la fin des classes, dès que la cloche nous libère, les filles roulent leur jupe pour la faire remonter sur leurs cuisses. Elles bondissent dans la rue avec leurs bottes, leur manteau maxi et leur sac à main en cuir, elles marchent jusqu'au centre commercial et se déhanchent avec défi.

Le plus souvent, je me contente de les observer de loin, comme si elles appartenaient à une espèce étrangère. Parfois, j'imagine que je m'approche d'elles pour les suivre, mine de rien, comme si c'était la chose la plus naturelle du monde. Déjà, mon bras se lève, mon pied esquisse le mouvement qui me fondrait dans ce groupe bavard et bruyant. Mais comment réagiraient-elles ? Je reste donc là avec mes gestes imaginaires et ma jupe qui s'appuie bien sagement sur mes genoux quand je monte dans l'autobus jaune me ramenant chez moi.

Ma solitude inquiète mes parents. La nuit, je les entends discuter de moi, de mon âge délicat. Pendant que nous roulons vers ce camp où je dois enfin sortir de ma coquille, ma responsabilité pèse lourdement sur mes épaules. Je dois faire un effort pour aller vers les autres, ne serait-ce que pour soulager mes parents de leur inquiétude. C'est promis, *kochanie? Tak, tak.* Oui.

Sauf que là, sur ce chemin cabossé, bien calée au fond de mon siège de similicuir beige, je prie pour que la route ne se termine jamais, pour que nous n'arrivions jamais à cette colonie de vacances où je dois passer un mois avec des inconnus qui vont me demander d'où je viens, comment je prononce mon nom et pourquoi j'ai un accent.

« Regarde », dit maman. Une lueur apparaît devant nous, le mur s'efface, le chemin quitte le bois et débouche sur un terrain plat et sablonneux, au bout duquel on devine le scintillement d'un lac. Je sors de l'auto, je m'étire, j'ai des fourmis dans les pieds. Mes jambes tremblent, je sautille sur place pour que ça ne paraisse pas. Le soleil me fait plisser les paupières. Pendant quelques instants, tout est flou : les cabines blanches, les autres campeurs, leurs sacs trop lourds, les autos qui emportent les parents délestés de leur cargaison, la silhouette de quelques canots échoués sur la plage, au loin.

« C'est pas mal, ici », remarque papa, qui, déjà,

pose ma valise sur le sol. Je frotte mes yeux et j'aperçois la banderole tendue entre deux piquets qui marquent l'entrée du camp. Une bande de tissu blanc fixée juste au-dessus de nos têtes, là où le chemin s'élargit sous les éclaboussures du soleil, stipule en lettres rouges et vertes : « Et les crapauds chantent la liberté. » À l'extrémité de la phrase apparaît le dessin d'une grenouille qui enfle et désenfle à mesure que le tissu bouge sous le vent.

Je ne connais ni ces vers, ni leur auteur, mais cette inscription me rappelle vaguement quelque chose. Quoi donc ? Je fouille dans mon esprit et ça me revient. *Arbeit macht frei,* cette maxime accrochée au-dessus du portail de fer d'Oswiecim — ou Auschwitz, comme ils disent ici.

Le travail rend libre. J'ai souvent vu cette image dans mes livres d'école, ou encore dans les albums qui traînaient dans les maisons de villégiature où nous allions passer les vacances d'hiver, avant.

Les photos me fascinaient : les trains, le quai, la grille de fer et son slogan. Mais aussi les femmes nues, chauves, les yeux hagards, creux, creux aussi les seins, comme des ballons dégonflés. Les seins m'impressionnaient plus que tout, dans leur façon de pendre vers le sol, indifférents à leur sort, passifs. Des femmes qui avaient l'âge de ma mère et qui, parfois, serraient contre leur corps des enfants maigres aux yeux noirs.

Arbeit macht frei. Les crapauds chantent la liberté. Le camp de concentration. Le camp de vacances. J'essaie de chasser les images que cette analogie allume dans ma tête, je me penche pour soulever ma valise, mais tout à coup, je suis LÀ-BAS : pâle et flasque, j'attends mon tour pour les douches. Je pense à l'instant précis où l'on saisit avec tous les pores de sa peau que ce n'est pas de l'eau qui tombe du plafond, je pense au bruit que j'imagine semblable au sifflement d'une bouilloire, mais peut-être que c'est plutôt le silence. J'imagine la vapeur qui s'abat sur moi, reflue dans mes narines, j'imagine la terreur, la couleur de cette terreur, sa texture…

« Magda, tu es là ? » crie papa, et je suis sauvée. À nos côtés se dresse un homme bronzé, plus jeune que mes parents, mais quand même adulte, il exhibe un sourire éclatant au milieu d'une barbe rousse. L'homme me fait signe de déposer ma valise, puis il marmonne quelque chose et les poils de sa barbe montent et descendent avec les miettes qui y sont accrochées.

« Je m'appelle Madeleine », je dis, en lui tendant la main. J'observe papa du coin de l'œil : il ne réagit pas, maman fait un drôle de sourire, je serai Madeleine, donc. Surtout, qu'ils ne parlent pas, maintenant que nous sommes arrivés, le mieux serait qu'ils repartent immédiatement, envolés, désintégrés, avec leurs « e » béants et leurs « r » qui roulent au bout de la langue, au lieu de surgir de plus loin, du fond de la gorge.

Je jette un regard sur maman qui ouvre la bouche, sans doute s'apprête-t-elle à déverser un torrent de phonèmes mal ajustés en direction du barbu, qui ne lui en laisse pas le temps, ce dont je le remercie intérieurement.

« Moi, c'est Yves, bienvenue au camp des Pics-Bois, *welcome*, contente d'être arrivée ? Ici, c'est un camp bilingue, on parle français et anglais, ça va bien aller, *it's gonna be fine,* tu seras dans le groupe des Sauterelles, ça se dit *Grasshoppers* en anglais, dans la cabine numéro trois, c'est le groupe des douze à quatorze ans, tu seras donc parmi les plus jeunes de ton groupe, mais tu as l'air bien mature, non? » dit-il, et il me soupèse d'un drôle de regard.

Yves est le directeur adjoint du camp, c'est inscrit sur le carton épinglé sur son t-shirt de coton couvert de cercles pâles entremêlés. Il a dû le plonger dans différentes teintures après l'avoir pincé avec des élastiques. Je le sais car j'ai fait subir le même traitement à quelques vêtements, au grand désespoir de maman. Sauf que mes créations ont quelque chose de coincé, d'immobile, les motifs ne coulent pas, l'effet psychédélique est raté. Le chandail du directeur adjoint ondule sous sa respiration, et les sillons des élastiques forment des serpents qui dansent sur sa poitrine. La sueur dessine deux demi-lunes sombres sous ses aisselles.

Je dis « Bonjour, oui », je souris, j'embrasse papa-maman, une fois sur chaque joue, je prononce les mots attendus, mais j'agis comme une automate, comme dans un rêve. Une crampe me vrille les intestins. « C'est sympathique, ici, non? » dit encore papa en se dirigeant vers l'auto. Je réponds : « Oui, sympathique. »

Tu vas voir, tu vas apprendre l'anglais, tu vas te faire des amis. Oui oui. N'oublie pas d'écrire. Je n'oublierai pas. Tu as des stylos, du papier à lettres? Oui. Tu n'as pas oublié ton imperméable? Tes serviettes sanitaires? S'il te plaît, *mamusiu...* Tu n'as pas oublié? À ton âge, ça peut arriver, tu sais.

Non, je n'ai pas oublié, je réponds, consumée de honte même si personne ne peut nous comprendre. Puis la forêt les avale, papa, maman, la Plymouth bleue, qui sera à nous dans trois ans, et le sac de pharmacie avec les serviettes sanitaires que j'ai abandonnées sur la banquette arrière recouverte de similicuir beige.

« Allez, vas-y, ta monitrice t'attend, c'est tout droit, la dernière cabane à gauche », laisse tomber Yves, puis il me tourne le dos et se dirige vers les nouveaux campeurs qui émergent du bois avec leurs parents et leur valise.

Autour de moi, la même scène se répète à l'infini, comme quand on se reflète dans deux miroirs qui se font face. Des hommes et des femmes étreignent leur fille ou leur fils, le barbu aux serpents intervient pour les séparer, alors les parents montent dans leur voiture, repartent dans un crissement de pneus et disparaissent dans la forêt. Les enfants soulèvent leur sac à dos ou leur valise, et marchent en traînant les pieds vers la cabine qui leur a été assignée.

Je marche donc, moi aussi, en raclant le sol avec ma valise de carton rigide qui arbore encore les étiquettes d'adresses grâce auxquelles elle a pu me suivre jusqu'ici, jusqu'à ce pays où on peut épargner à l'envers, et jusqu'à ce camp de vacances bilingue où on fait chanter les crapauds.

Je me dirige vers la cabine numéro trois, *number three*, en essayant de me rappeler le mot anglais pour dire « sauterelle ». *Jumper ? Grassjumper ?* Puis je réalise qu'en plus des serviettes sanitaires dont j'espère n'avoir jamais besoin j'ai oublié mon dictionnaire, cadeau de départ de papa, qui croit que la maîtrise des langues constitue la clé magique menant vers le succès et son frère jumeau, le bonheur…

*   *   *

Les cabines sont posées sur des pilotis et leurs murs sont recouverts de lattes d'aluminium blanches. La pièce où je hisse ma valise est si sombre que je dois rester immobile pendant quelques instants, le temps de laisser mes yeux s'habituer à l'obscurité.

Peu à peu, des formes se dessinent, et je vois quatre rangées de lits superposés, alignés contre le mur. Quatre fois deux lits : nous serons donc huit filles de douze à quatorze ans, parmi lesquelles, selon le vœu exprimé à répétition par maman, je devrai tenter de débusquer quelques amies.

Notre cabine consiste en une pièce carrée dont l'unique fenêtre est à moitié recouverte d'une toile grise. Les lits sont séparés par des commodes. Au fond de la pièce, une fille très blonde, visage diaphane au milieu d'un déferlement de boucles, place des objets dans un tiroir.

J'aime l'adjectif « diaphane », je l'ai appris récemment dans des mots croisés et je l'ai noté dans la liste de mes mots français favoris. C'est un son qui ressemble à ce qu'il signifie. Comme chuinter, chuchoter, clapotis ou aérien, qui figurent aussi sur ma liste.

La fille diaphane parle, mais à mon grand soulagement elle ne s'adresse pas à moi. Je me retourne : derrière la porte, il y a une chaise, sur la chaise, une femme dans la vingtaine, corps lourd et visage rond percé de deux petits yeux légèrement inclinés.

« Tu dois être Magda, comment tu dis ça ? me demande-t-elle.

— Madeleine.

— Madeleine, c'est bon, c'est plus simple », acquiesce-t-elle.

Elle-même s'appelle Louise, c'est notre monitrice et elle dormira sur un lit de camp à côté de son bureau, là, tu vois. Moi, je peux prendre n'importe lequel des lits superposés encore libres, je n'ai qu'à choisir, c'est première arrivée, première servie.

« Elle, c'est Anne, Anne Lachance », dit Louise en pointant le doigt vers la fille diaphane qui lève les yeux, écarte sa frange, me lance « salut » en souriant de ses dents blanches et disparaît aussitôt derrière ses cheveux.

Elle a des gestes sûrs, précis, elle lisse avec application ses vêtements avant de les empiler dans son tiroir, comme le font les vendeuses dans les magasins.

Anne me fait signe de prendre le lit au-dessus du sien, je dis oui même si je préférerais m'installer sur celui du dessous. Je cherche un endroit où poser ma valise. Elle est haute et encombrante, contrairement au sac de cuir souple qu'Anne vient de glisser sous son lit.

« Tu parles drôlement, tu viens d'où ? » demande encore Anne, et je lui explique aussi rapidement que possible. Combien de temps cela prend-il pour laver une voix de tous les relents du passé ? pour pouvoir dire « huit » et que le « ui » glisse de notre bouche avec un sifflement aérien, au lieu de produire un « houit » balourd et inélégant, qui appose immédiatement l'étiquette « étrangère » sur mon front ? Et qui aboutit inévitablement à la question qui me mortifie : « C'est quoi, ton accent ? »

Anne a la délicatesse de ne pas poursuivre l'interrogatoire, elle ne me demande pas d'épeler mon nom de famille, en fait, elle cesse de s'intéresser à moi et réarrange plutôt les strates de vêtements dans son tiroir, merci, Anne.

Il manque encore plus de la moitié des filles de notre groupe, nous informe Louise, qui inscrit un crochet à côté du nom de chaque nouvelle campeuse. Elle explique que plus tard, quand tout le monde sera arrivé, il y aura une cérémonie d'accueil à la cafétéria. Après, nous mangerons et puis nous ferons un grand feu sur la plage.

En attendant, puisque je suis arrivée si tôt, je peux en profiter pour faire le tour des lieux. Suivent une série de consignes débitées à la chaîne : je peux aller au bord du lac, mais pas me baigner sans surveillance, pareil pour la piste d'hébertisme, on ne l'utilise qu'en présence d'un moniteur, les toilettes, c'est par là, en arrière de la cabine, on ne doit y laisser aucun effet personnel, on place les tampons dans le panier, le matin il ne faut surtout pas oublier de mettre du déodorant, le couvre-feu est à vingt-deux heures, pas le droit d'aller dans les cabines des garçons à moins d'avis contraire, pas le droit de quitter la zone du camp, pas d'accès au téléphone sauf en cas d'urgence…

Anne Lachance jette un regard ironique sur Louise, en faisant le geste de savoir ce qu'elle va raconter : blablabla. Je ne suis donc pas la première à bénéficier de la litanie d'adjurations, dont le sens n'est pas toujours limpide pour moi.

Par exemple, je ne suis pas certaine du sens du mot « tampon », j'ignore ce que signifie « piste d'hébertisme » et je n'ai pas de déodorant : voilà un détail qui a échappé à la vigilance de maman. Pourtant, la transpiration, c'est comme l'accent : la marque indélébile d'une origine étrangère.

Je maugrée intérieurement contre ma mère, que je tiens pour responsable de cet oubli, c'est ça, elle veut que je me fasse des amies, mais elle s'en fiche si je n'ai pas la bonne odeur, ici on ne sent pas mauvais sous les bras, décidément, elle ne comprend rien ou quoi ?

Je fais aussi des « hum » pour montrer que j'ai bien enregistré le message, je place quelques vêtements dans le tiroir, j'essaie de caser ma valise debout entre le lit et le mur en cherchant ce que je pourrais bien dire à Anne Lachance pour attirer son attention. Je ne trouve rien, alors je me relève, je tourne sur mes talons et, sans un mot, je quitte la cabine.

* * *

Le camp est niché au creux d'une vallée encerclée par des collines boisées. Une vingtaine de cabines blanches longent le lac et sa plage de sable gris. Au loin, l'étendue d'eau rétrécit puis tourne à droite avant de disparaître derrière les arbres.

Un bâtiment plus imposant, tout en longueur, surplombe la plage, ça doit être la cafétéria. À côté, une construction de brique est identifiée comme le « Bureau de la direction ».

Canots, ballons et ceintures de sauvetage forment un amoncellement coloré sous l'abri de la plage. Le vent soulève des moutons sur le lac où l'aire de baignade est délimitée par des bouées jaunes. Au milieu de la plage, une pyramide de branches indique l'endroit du feu de camp prévu pour le soir.

À l'extrémité de la plage, des marches de bois grimpent à flanc de montagne et débouchent sur un sentier qui zigzague à découvert avant de s'enfoncer dans la forêt. Une bifurcation donne ensuite le choix entre plusieurs chemins conduisant à des aires d'activités, telles que « terrain d'équitation », « tennis » ou « piste d'hébertisme ».

Je suis cette dernière indication pour atteindre une clairière où des cordes pendent entre des poutres et des échelles de bois. Je note mentalement : hébertisme égale exercices dans les arbres avec des cordes.

Dans la zone nommée « terrain d'équitation », trois chevaux mâchouillent quelques brindilles avec l'air de s'ennuyer ferme au milieu d'un carré sablonneux, circonscrit par une clôture de bois.

Au fil de ma promenade, je croise deux ou trois flâneurs qui, comme moi, tuent le temps en attendant que les activités démarrent. Mais en repassant par l'aire principale, celle où sont regroupées les cabines, je constate que la majorité des campeurs se connaissent déjà, peut-être s'agit-il d'amis qui ne se sont pas vus depuis l'an dernier et qui ont plein de choses à se raconter? Assis un peu partout, sur des troncs d'arbres, sur des pierres ou sur les marches des cabines, ils forment des grappes bruyantes et excitées. Je les contourne en fixant un point au-dessus de leurs têtes.

Pendant ces heures suspendues où le camp se remplit peu à peu, je continue donc à errer entre les chevaux, le terrain de tennis et l'aire d'hébertisme, en prenant un air affairé, comme si j'inspectais les lieux. Je compte les canots et les cordes d'hébertisme, je calcule l'aire du terrain d'équitation, j'estime le nombre approximatif de campeurs et le divise par le nombre de cabines, puis par celui des canots et des chevaux.

À un moment, je n'ai plus rien à calculer et je décide de retourner vers les cabines quand j'aperçois, à l'orée du bois, un garçon d'environ dix ans, dressé bien droit, une main posée sur le tronc d'un grand pin. Il fait dos au camp, ses yeux sont ouverts, mais ses pupilles paraissent étrangement fixes. Sa lèvre supérieure est fendue et forme un triangle qui détrousse partiellement ses dents. Je crois que c'est ce qu'on appelle un bec-de-lièvre, mais je n'en suis pas certaine.

Quand je passe près du garçon, je l'entends pleurer, mais son corps reste figé dans sa position de statue, ses épaules immobiles, malgré les sanglots.

*   *   *

Sur la brochure que m'avaient montrée mes parents, le camp des Pics-Bois apparaît comme un lieu bucolique où des enfants blonds s'éclaboussent dans l'eau ou galopent au milieu d'un champ de verges d'or et d'asclépiades, cheveux au vent. On y explique aussi qu'il s'agit d'un camp bilingue, où francophones et anglophones peuvent se mêler dans une sorte d'osmose amicale et communicative. C'est ce qui a plu à papa, que j'apprenne l'anglais, maintenant que je me débrouille en français. Maman, elle, n'en démord pas : elle veut que je me lie d'amitié avec des jeunes de mon âge, peu importe leur langue, des sourds-muets feraient aussi bien l'affaire.

En réalité, le camp accueille bien un groupe de jeunes anglophones, mais ils sont à peine une dizaine, originaires de l'Ontario et attirés par la perspective d'une immersion française. À la cafétéria et pendant les activités collectives, ils se tiennent à l'écart, et on ne les entend presque jamais parler anglais. Quant à nos moniteurs, ils n'utilisent l'anglais que lorsqu'ils échangent, à notre insu, des informations qui ne nous sont pas destinées.

Pendant les repas, ils font tourner inlassablement le dernier disque de Simon and Garfunkel, et les paroles de la chanson *Cecilia,* que nous scandons tous ensemble avant de repousser nos assiettes pour reprendre nos activités, se gravent dans ma mémoire tel un bloc compact où les mots n'ont ni début ni fin. *Oh-Cecilia-I'm-down-on-my-knees-I'm-begging-you-please-to-come-home.*

Un après-midi, pendant l'heure d'activités libres, un adolescent pâlot, un peu gras, s'approche de moi. Il s'appelle Pierre et veut me montrer une chanson en anglais, O.K.? D'accord, je dis, et je répète après lui : « *Fuck-against-the-wall-mother-fucker.* »

En suivant son regard, derrière moi, je vois ses copains se tenir le ventre tellement ils rient. Mes joues deviennent brûlantes et je décide de ne plus parler anglais.

Les photos du prospectus s'avèrent trompeuses, elles aussi. Nous pouvons suivre des cours d'équitation, mais nos trois chevaux refusent de galoper et se contentent de claudiquer dans leur enclos. Le terrain de tennis est fait de terre battue, les balles défraîchies y rebondissent mollement, et les raquettes ont été rafistolées avec du fil de fer. Ce qu'il y a de mieux, c'est le lac, avec son eau fraîche que nous agitons à coups de rames, sa plage de sable gris et, au fond, sa baie étroite couverte de nénuphars.

*   *   *

« Lui? C'est un orphelin », me dit Anne Lachance le soir où je lui relate ma leçon d'anglais avec Pierre. J'apprends qu'ici il y a deux groupes de campeurs. Des enfants de familles plus ou moins aisées, comme celle d'Anne Lachance, mais aussi les pensionnaires d'un orphelinat de Pointe-aux-Trembles dont le séjour est défrayé par une œuvre de charité.

« Pierre est orphelin, mais aussi Georges, par là, et le gros Bernard, là-bas. » Dans notre propre cabine, il y a deux orphelines : une fille aux épaules tombantes et aux paupières perpétuellement bouffies qui s'appelle France, et une petite boulotte de quatorze ans, Kathleen, l'aînée de notre groupe.

Avec Anne, je m'amuse à deviner qui est orphelin et qui ne l'est pas. Je me trompe rarement, même s'il est difficile de dire avec précision en quoi consiste la différence. C'est une question de cheveux plus ou moins brillants, de peau plus ou moins claire, de dents plus ou moins blanches. Une sorte de voile gris recouvre les corps et les visages des orphelins, comme un dépôt terreux qui leur donne l'air de sortir d'un film en noir et blanc. Je vois ça comme une espèce de costume, ou encore la signature de la pauvreté.

Avec son teint clair et ses dents éclatantes, Anne porte une tout autre signature. Son père est un avocat de Québec, mais il fait de la politique, me chuchote Anne. Elle explique que c'était un libéral, mais qu'il vient d'adhérer au tout nouveau Parti québécois, ce sont des gens qui veulent que le Québec se sépare du Canada, tu sais. Je l'ignorais. Dans ma tête, j'imagine d'immenses lames qui cisaillent la terre, quelque part autour du port de Montréal où nous avons débarqué, un an plus tôt, avec nos valises qui contenaient toutes nos possessions.

Anne dit qu'elle m'avait d'abord prise pour une

orpheline, mais qu'elle n'en était pas certaine. Je décide de clarifier les signaux qu'envoie mon corps en imitant les gestes d'Anne, sa manière de marcher, de secouer ses cheveux en les faisant virevolter sur ses épaules, ou de les peigner interminablement, le soir, afin de les rendre plus brillants. « Il faut cent coups de brosse tous les jours, pas un de moins », dit Anne, qui ne déroge jamais à ce rituel.

Je repense aussi au petit garçon au bec-de-lièvre que j'avais vu pleurer le jour où je suis arrivée au camp. Je l'aperçois parfois, avec son étrange regard immobile, presque toujours à l'écart des autres, creusant des trous dans le sable à l'aide d'un bout de bois, puis remplissant ces trous. Il s'appelle Paul et il paraît plus jeune que son âge. En réalité, il a douze ans, comme moi.

Un jour, il tombe de cheval, et les garçons de son groupe traversent le camp en scandant : « Paul à la casserole ! » Il les suit de loin, en boitant un peu, le visage penché vers le sol, soutenu par un moniteur qui tourne la tête pour qu'on ne le voie pas rire. Paul est-il un orphelin ? Ou un hors-catégories, comme moi ?

*   *   *

Le soir, dans la cabine, nous attendons que Louise s'endorme pour nous asseoir dans nos lits et parler. C'est Kathleen qui donne le signal et c'est elle, généralement, qui lance les sujets de conversation. En fait, c'est presque toujours le même sujet : les garçons, son domaine d'expertise, celui où elle nous devance toutes.

Mon vocabulaire français s'enrichit. J'apprends, par exemple, le mot « frencher », il revient dans toutes les conversations, c'est la mesure de notre maturité sexuelle, le seuil que nous devons toutes franchir, en fermant les yeux et en comptant jusqu'à dix s'il le faut.

Kathleen s'éclipse parfois le soir, après le couvre-feu, et nous relate en détail ses aventures, avec qui elle a frenché, comment et combien de temps. Un tel n'ouvrait pas assez la bouche, tel autre faisait des mouvements rapides avec sa langue ou palpait ses seins ronds et lourds, je me demande en l'écoutant si je serai vraiment obligée de faire tout ça, n'y a-t-il pas moyen de procéder autrement ?

Elle semble détenir des connaissances encyclopédiques en matière d'autres pratiques sexuelles et les partage généreusement avec nous. Je découvre avec stupeur la variété d'usages auxquels peuvent servir les divers orifices humains, mais, à vrai dire, j'ai peine à la croire et je pense qu'elle veut nous impressionner avec ses prétendus exploits.

Kathleen porte un dentier et le retire chaque soir, le faisant claquer dans le noir pour nous faire peur. Je n'avais encore jamais vu quelqu'un d'aussi jeune porter un dentier. Quand elle ne parle pas de sexe, elle nous raconte que plus tard elle sera coiffeuse, qu'elle vivra dans un bungalow avec un amant très riche, mais qu'elle n'aura pas d'enfants, qui n'apportent que des soucis, selon elle.

Kathleen n'a pas eu l'occasion de causer beaucoup de problèmes à sa mère : cette dernière l'a laissée à des religieuses à sa naissance et n'a plus jamais donné signe de vie.

« Tu n'as jamais frenché ? » me torture Kathleen tous les soirs. Je finis par prétendre que oui, trois fois après le feu de camp, avec le gros Pierre, je donne quelques détails et Kathleen finalement me laisse tranquille.

Tous les soirs, Louise nous fait placer en rangs et nous conduit vers la cabine des douches. « N'oubliez pas vos serviettes, votre savon, votre déodorant », rappelle-t-elle. L'eau de la douche est souvent tiède, chaque fille est différente, Kathleen a des poils roux sur le pubis et je me demande si c'est le sang qui, en coulant, laisse une empreinte de cette couleur.

Un jour, Kathleen apporte un pot de crème rose, elle en enduit ses jambes et ses aisselles et s'assoit nue sur le comptoir de l'évier, en faisant battre ses jambes. Après quelques minutes, elle retourne sous la douche, rince la crème et passe un rasoir jetable sur sa peau. Quand elle se rend compte que je la regarde, elle me tend son pot de Neet en disant : « Tu devrais, tu sais. »

« Tu sais comment on reconnaît un avion italien ? Il a des poils sous les ailes », lance Kathleen, et toutes les filles rient. « Mais elle n'est pas italienne », proteste faiblement Anne. Je pense aux touffes de poils sombres qui jaillissent quand maman lève les bras pour retirer sa robe. Je me consume de honte. L'ombre noire sous mes aisselles doit disparaître. Immédiatement. « O.K., passe-moi cette crème. »

* * *

« C'était comment, dans ton pays ? » me demande Anne. De toutes les autres campeuses, elle est celle qui pourrait le plus s'apparenter à une amie. Elle corrige mes fautes de français sans trop insister. Le soir, elle me raconte des histoires de son école et de sa famille, mais ne me demande rien sur moi.

Sauf cette fois-ci, où elle me demande de lui raconter d'où je viens.

J'essaie de répondre, mais c'est difficile, parce que les mots que j'utilise ne réfèrent pas aux bonnes images. J'ai beau chercher, je n'en trouve pas d'autres. Je dis « maison » et Anne imagine un bungalow avec une cour gazonnée et un sous-sol aménagé où les haut-parleurs peuvent cracher *Hey Jude* vingt fois de suite, à plein volume. Un filet de pêche avec de vieux quarante-cinq tours est accroché au plafond. Sur la table basse, des plats de chips et de pinottes et, ce que je préfère, quelques morceaux de sucre à la crème.

Une maison, pour moi, c'est plutôt un appartement de trois pièces où les voisins tambourinent sur votre porte dès que vous faites trop de bruit. Dans la chambre des parents, il y a un lit pliant qu'ils referment quand ils invitent des amis pour jouer au bridge ou regarder la télévision — là-bas, nous étions parmi les seuls à en posséder une. Dans le garde-manger, il y a un sac de graines de pavot où je pige de grosses cuillérées quand personne ne me voit. Le mot est le même : maison. Mais il renvoie à des réalités complètement différentes.

C'est la même chose si je dis « magasin ». Anne voit alors un supermarché où l'on déambule entre des étalages offrant un choix vertigineux de boîtes de céréales, de conserves et de confitures. Pour moi, c'est un espace étroit où une vendeuse portant un sarrau blanc se penche péniblement pour plonger son écuelle dans un baril de crème sure ou de choucroute.

Les mots sont les mêmes, mais ils signifient tout autre chose. Et je suis incapable de trouver ceux qui permettraient à Anne de visualiser ce dont je parle, d'imaginer ma maison quand je dis le mot « maison », de voir mon école quand je dis « école ».

La réalité que je décris est en carton-pâte, comme si je venais d'un pays imaginaire, irréel, comme si j'étais une sorte de sirène : en haut, je parais normale, mais en bas, invisible, il y a ma queue de poisson et ma nageoire qui taillade les vagues. Comment le faire comprendre à des gens qui ont toujours posé leurs deux pieds sur le sol ferme ?

Notre monitrice, Louise, apprend le piano, et cela me surprend à cause de ses airs bourrus. Quand je lui dis d'où je viens, elle répond « Chopin » et « mazurka », et ses yeux s'illuminent d'une joie que je n'y avais jamais décelée auparavant. Un campeur me parle de Copernic et un autre des soldats qui ont affronté les tanks allemands avec leurs chevaux. Je souris, oui, Chopin, Copernic, la cavalerie, mais ces évocations n'ont aucun lien avec les saveurs et les odeurs de mon enfance.

Plus ils essaient de s'approcher de moi, plus je me

sens loin. Mieux vaut apprendre à dire « estidfolle » et
« calissedemongole » avec l'intonation parfaite, mieux
vaut me raser sous les bras, apprendre à aimer le Cheez
Whiz et les bines, mieux vaut scier ma nageoire et
essayer d'avancer comme si j'avais toujours eu deux
jambes. Sauf que, sous la surface, ça restera toujours
une queue de poisson…

*   *   *

Le midi, après le repas, les moniteurs distribuent
le courrier. Les orphelins en reçoivent rarement, et
quand ils voient les autres campeurs s'avancer pour
prendre une lettre ou un colis, ils mangent leur Jell-O
garni de tranches de banane avec un regard vide. Parfois, ils se chamaillent, ou font tomber une assiette, et
ils nous irritent parce qu'ils retardent le moment où
nous pourrons décacheter une enveloppe avec les dernières nouvelles de la maison ou ouvrir, pour les plus
chanceux, une boîte en carton contenant des chocolats,
des bonbons — et, dans mon cas, un déodorant au
parfum de muguet.

Un jour, je reçois deux lettres de « là-bas », pleines
de timbres et d'étiquettes bleues qui disent « Par avion/
Via Air Mail ». Au bas de l'adresse, le mot Kanada avec
un K. Vite, je les chiffonne et je les mets dans ma poche.
Je les lirai plus tard, dans mon lit, à la lumière de ma
lampe de poche.

Ce soir-là, Anne se hisse sur l'échelle qui relie nos
lits. Elle dit : « Montre-moi. » À contrecœur, je lui tends

une fine feuille de papier remplie de mots qu'elle ne peut pas comprendre. «Tu es capable de lire ça?» elle demande, et je vois une lueur d'admiration dans son regard. Je reprends mes lettres et je les cache sous mon oreiller. Je ne veux pas qu'elle me regarde comme ça. Ni elle ni personne.

*   *   *

Je suis poursuivie par des soldats allemands et leurs chiens aboient dans la forêt, dénudant des crocs pointus. Je cours, je cours, je les entends approcher quand j'aperçois une corde suspendue à un arbre. J'y grimpe, comme me l'a montré Louise, en enroulant la corde autour du pied droit pour me propulser avec mon talon. Au loin, j'entends des tirs, des explosions, des avions bombardiers passent bas dans le ciel. Je me balance très haut, bientôt la corde dépasse la cime des bouleaux et des épinettes, les chiens reniflent le tronc des arbres, mais ne me remarquent pas. Un des chiens enlève son dentier, et dans sa bouche s'agite une langue épaisse et noire. Je pense que, si je tombe, il voudra m'embrasser, et je m'accroche de toutes mes forces à ma corde. Les Allemands s'apprêtent à repartir quand je me rends compte que le fil de nylon s'effrite, il grince en frottant contre le tronc de l'arbre, puis il se rompt, et en tombant j'aperçois le sourire édenté de Kathleen qui flotte en l'air, à mes côtés, comme un nuage…

Je me réveille en sueur, le cœur battant, et il me faut quelques minutes avant de me rappeler où je suis :

au camp des Pics-Bois, cabine numéro trois, groupe des Sauterelles/Grasshoppers. Tout le monde dort dans la cabine. Je me soulève et constate que le lit de Louise est vide, ses couvertures éparpillées sur le sol. Anne est couchée sur le dos, immobile, et ses longs cheveux cachent son visage. L'air vibre de la respiration régulière des campeuses. Quelques ronflements font de brèves déchirures dans le silence.

J'ai besoin d'air frais, je dois chasser les images de ce cauchemar qui m'a rattrapée même ici, entre les ronces, les épinettes et les bouleaux.

Je glisse mes pieds dans mes sandales et ouvre doucement la porte. Dehors, il fait une nuit sombre et compacte. Sous le ciel nuageux où filtre un pâle reflet de lune, l'eau du lac paraît plus dense, menaçante. On dirait de la mélasse.

Je me dirige vers le secteur des garçons et je vois des ombres passer dans la fenêtre d'une des cabines. En m'approchant, je distingue la silhouette de Paul qui semble suspendu en l'air, peut-être se tient-il debout sur une chaise? Il est torse nu et porte un drap enroulé autour de ses hanches, telle une robe blanche qui allonge sa silhouette et lui donne l'air d'un fantôme.

Une sorte de guirlande fleurie a été accrochée à son cou, et il tient ses bras levés, comme le Christ sur sa croix. « Paul, la grande folle », scandent maintenant les garçons, et j'entends leurs voix par la fenêtre entrouverte. Je crois distinguer son regard fixe habituel, mais je dois l'imaginer, car comment pourrais-je l'apercevoir dans le noir?

Ce spectre flottant et immobile se superpose à mon rêve et ajoute à mon sentiment d'horreur. Je me dirige vers le bâtiment administratif pour alerter les moniteurs. Où sont-ils donc passés, d'ailleurs ? Sans doute ont-ils été convoqués à une réunion tardive. Peut-être pour préparer la chasse au trésor du lendemain ?

Des bruits indistincts me parviennent avant que je n'atteigne la maison de brique. Je me hisse sur la pointe des pieds et, par la fenêtre, j'aperçois Louise, ma monitrice, Yves, le directeur adjoint, et quelques autres. Ils sont assis sur des oreillers posés directement sur le sol et font circuler un mégot. « *Like a bridge over troubled water* », chantent Simon and Garfunkel, et je n'entends que leurs voix haut perchées.

Une des monitrices, celle qui s'occupe des Pivoines, le groupe des filles de huit à dix ans, trébuche et renverse des bouteilles de bière, qui tombent comme des quilles. Elle s'assoit sur les genoux du directeur adjoint, qui caresse ses cheveux et souffle la bougie qui illumine la pièce d'un halo orangé. Mes yeux ne distinguent plus que des ombres. Je m'apprête à frapper à la porte, mais ma main refuse de m'obéir, et je retourne me coucher.

*   *   *

Le lendemain, je me réveille avec le sentiment d'avoir inventé ces images, d'avoir plutôt fait, l'un après l'autre, deux cauchemars. Mais ces scènes nocturnes s'accrochent à mon esprit, elles sont tenaces et ont la texture tranchante de la réalité. Devrais-je en parler à quelqu'un? Mais à qui? Anne? Elle qui est toujours si positive, si confiante, non, elle ne me croirait pas. Yves? Quand il traverse la cafétéria, il a un drôle de sourire, et je le revois en train de sucer son mégot, avec les serpents qui ondulent sur son torse, et la monitrice du groupe des filles de huit à dix ans qui essaie de les attraper.

Le directeur lui-même s'est absenté pour quelques jours, et de toute façon je me vois mal me plaindre à cet homme sec, austère. Il paraît que c'est un ancien prêtre, il est toujours vêtu d'un costume brun; il se retournerait forcément contre son adjoint si je lui racontais ce que j'ai vu cette nuit-là.

D'ailleurs, peut-être que j'exagère? Peut-être que tout était parfaitement normal? Peut-être que c'est comme ça que ça se passe ICI? Ou peut-être même que je n'ai rien vu du tout?

Je cherche Paul des yeux, mais je ne l'aperçois pas à sa place habituelle à la cafétéria, est-il malade? Je prends deux tranches de pain, les enduis de beurre d'arachide, les enveloppe dans une serviette en papier et prétexte le besoin urgent de me rendre à la salle de bain pour m'éclipser. Quand il m'entend entrer dans sa cabine, Paul a un mouvement de recul, comme s'il avait eu peur. « Tiens », je dis en tendant les tartines. Il ne bouge pas. « Tu t'appelles Paul, non? Moi, c'est Madeleine. »

Il ne parle pas, mais accepte les tartines et les mange à petites bouchées. Entre nous, il y a d'abord un très long silence. Je le regarde mastiquer le pain, lentement, avec application, et il m'observe de son regard fixe. Cela dure indéfiniment, le temps est élastique comme quand on attend son tour chez le dentiste.

L'image d'un petit garçon dans le ghetto qui lève les bras devant un soldat allemand passe dans ma tête et s'envole. Enfin, je lui demande d'où il vient. De Saint-Jérôme, il dit. Sa lèvre supérieure est immobile et les sons sortent difficilement de sa bouche, comme s'ils étaient comprimés par son bec-de-lièvre.

Comme moi, c'est son premier séjour au camp. Je lui demande s'il aime ça, il dit oui, puis non, pas vraiment. Pourquoi? À cause des sports, parce qu'il n'aime pas les sports et qu'ici il faut grimper, pagayer, nager. « Je suis même tombé de cheval. » Oui, je le sais. Il me montre la blessure : un lac tacheté de bleu et de jaune qui s'étale sur la moitié de sa cuisse. C'est sa mère qui l'a obligé à séjourner ici, elle a fait une dépression et avait besoin de se reposer. Il dit le mot « dépression » tellement vite que je dois le lui faire répéter deux fois avant de saisir.

Je ne sais pas exactement ce que cela signifie, mais je comprends que c'est une chose sale et honteuse, un peu comme ce sang qui doit bientôt couler entre mes jambes.

Paul parle lentement, il débite les mots de façon mécanique, comme s'il les avait appris par cœur, sauf la maladie de sa mère qu'il comprime en une seule syllabe. Il dit : « Ma mère m'a envoyé ici parce qu'elle fait une dprssion », et les mots se placent devant sa bouche les uns après les autres, comme des petites voitures ou des figurines de soldats. Ils aspirent tout l'air autour de nous, sans vibrer, sans projeter la moindre émotion.

Quand il finit sa tartine, Paul me regarde d'un air méfiant : « Tu veux quoi ? » il demande. Puis : « Retourne avec les autres, ne t'occupe pas de moi. »

Son visage devient hostile, avec ses yeux tout à coup très noirs, alors je me tourne pour sortir. En franchissant le seuil, j'ai envie de lui dire que je l'avais vu pleurer, le premier jour. Mais les mots restent coincés dans ma gorge et je ferme doucement la porte derrière moi.

*   *   *

Je suis amoureuse. C'est arrivé un jour où je passais devant la cabine de Paul. Depuis quelque temps, quand il me voit, il lève la main pour me saluer et me fait un petit sourire tordu, alors je m'arrête pour échanger quelques mots avec lui. Je lui demande ce qu'il a fait, s'il a aimé le feu de camp de la veille ou à quelle activité il compte s'inscrire le lendemain.

Une fois, il me prête *Astérix et le chaudron,* je n'avais encore jamais lu de bandes dessinées, et tous les soirs, maintenant, je retrouve les Gaulois dans leur village qui résiste aux Romains.

Il m'arrive souvent de soupçonner que telle tournure de dialogue ou le nom de tel personnage doit avoir un double sens, qu'il y a des intentions d'humour qui m'échappent. Jamais je n'avouerais ça aux autres campeuses, je fais semblant de trouver ça drôle et je ris toute seule dans mon lit, comme elles le font parfois avec leurs livres. Il n'y a que Paul à qui j'ose demander, parfois, quelques éclaircissements. Ce qu'il pense de moi n'a pas vraiment d'importance.

Ce jour-là, donc, je lui demande à quelle activité il s'est inscrit pour la semaine, s'il a appris à grimper sur la corde et à se tenir sur un cheval, des questions banales, quand son moniteur s'approche de nous avec ses épaules larges, un jeans à franges, des cheveux blonds et des lunettes de soleil dans lesquelles miroitent les cabines blanches du camp des Pics-Bois.

Il me sourit et me dit quelque chose, mais les sons se brouillent et je ne vois que sa bouche qui bouge, puis il remonte ses lunettes sur son front avec un geste de chanteur populaire et son regard bleu se pose sur moi comme une caresse du ciel.

Il fait quelques pas à mes côtés et me raccompagne à ma cabine. « Tu sais, Paul est très spécial, bizarre, fais attention », il me prévient, mais je n'écoute pas ses mots et me laisse simplement bercer par sa voix.

Il s'appelle Vincent, et, selon Anne, c'est le plus jeune des moniteurs, il n'a que seize ans. À peine quatre ans de plus que moi. Le soir, Kathleen explique que Vincent a fui sa famille et doit gagner sa vie tout seul, pas toujours de la manière la plus légale. Ses révélations restent floues, nous les accueillons en silence, pendant qu'un frisson romantique électrise la cabine. Je constate que presque toutes les filles ont le béguin pour Vincent, mais je sens qu'avec moi c'est différent : n'a-t-il pas traversé tout le camp à mes côtés, au vu et au su de tous ? Ce geste, pour moi, a le poids d'une promesse.

*   *   *

Les douze-quatorze ans partent pour une expédition de deux jours. Nous serons une vingtaine, un groupe de filles, un groupe de garçons, explique Yves pendant l'heure des annonces à la cafétéria. Il est d'humeur maussade, et j'ai remarqué que Monique, la monitrice qui s'était assise sur ses genoux l'autre nuit, parle souvent avec un autre moniteur. Même maintenant, après le petit-déjeuner, ils se tiennent assis côte à côte, leurs têtes penchées au point que leurs cheveux s'emmêlent.

Nous partirons demain matin, dit Yves. Nous emportons des sacs de couchage, des matelas, des toiles qui nous serviront d'abri en cas de pluie, de la nourriture, de l'eau. Pour le reste, il faudra se débrouiller. Nous serons accompagnés par trois moniteurs, dont celui du groupe de Paul : Vincent.

Après avoir marché pendant plusieurs heures, en chantant « Un mille à pied, ça use, ça use », nous atteignons une cascade qui fait gicler son eau glaciale sur des cailloux. C'est ici que nous nous installerons, décident les moniteurs.

Il faut maintenant dresser les toiles, gonfler les matelas, trouver de longues branches pour les guimauves, faire un feu où nous pourrons faire chauffer nos conserves de spaghettis aux boulettes de viande.

« Ils ont apporté de la bière et aussi du *pot* », nous révèle Kathleen, tout émoustillée. « Paul, va chercher du bois, mais non, voyons, ce n'est pas ce qu'il nous faut, ça prend de grosses bûches qui vont brûler longtemps », s'impatiente Vincent en me jetant un coup d'œil, comme pour mesurer ma réaction.

Je n'aime pas l'expression que prend son visage lorsqu'il éparpille la récolte de Paul sur le sol, mais je la chasse de mon esprit pour me concentrer sur ce fait incontournable : il m'a regardée, moi, avec ses yeux doux surmontés de sourcils blonds.

Plus tard, nous faisons fondre nos guimauves au-dessus de la braise en chantant « Les bourgeons sortent de la mort, Papillons ont des manteaux d'or… », pour terminer en hurlant : « Et les crapauds chantent la liberté. »

Puis quelqu'un entonne : « Je suis de nationalité québécoise françai-ai-se, et ces billots je les ai coupés à la sueur de mes deux pieds dans la terre glai-ai-se… »

Par habitude, je note les mots « billots » et « glaise », mais ce n'est plus qu'un réflexe ; je suis ailleurs, assise à la droite de Vincent qui fait mine de me servir un verre de Kool-Aid, sauf que c'est de la bière. « Tiens, bois », dit-il. Un liquide tiède, doux et âcre à la fois, descend le long de ma gorge.

En levant la tête, je vois qu'un autre moniteur, il s'appelle André, a sorti de sa poche une petite bouteille carrée qu'il penche au-dessus d'un verre en plastique. Gling-gling-gling, l'alcool tambourine sur les parois du verre qu'une main renverse au-dessus du visage de Paul.

« Iglou-iglou-iglou », scandent tous les campeurs, et Paul avale le liquide en me jetant son regard de charbon.

Ce qui suit est tout embrouillé, une succession d'images désordonnées : la fumée qui me fait pleurer quand le vent la projette vers mon visage, ma tête qui tourne quand Vincent me fait fumer une cigarette, l'odeur d'un joint que je sens pour la première fois, Anne qui rit bizarrement, comme si elle était possédée, comme dans *L'Exorciste*, sauf que sa tête ne tourne pas à trois cent soixante degrés.

« Tu respires comme ça, explique Vincent en gonflant ses joues lorsqu'il me passe le mégot de marijuana qu'il tient avec une pince à sourcils.

— Comme ça, tu as embrassé Pierre, hein ? » me lance Kathleen d'un air accusateur, et le garçon gras de l'orphelinat de Pointe-aux-Trembles pouffe de rire. La graisse sur son ventre ondule comme du Jell-O. Flouque-flouque-flouque.

Je détourne le regard, je lève la tête, des étoiles transparaissent maintenant entre les arbres. Quelque chose me fait rire, mais je ne sais pas quoi. Vincent me touche le bras, je prends son joint qui me brûle les doigts.

Tout le monde chante « *Cecilia-I'm-down-on-my-knees* », un des grands campeurs attire Paul vers lui et le fait asseoir sur ses genoux. Les garçons crient : « Paul la grande folle ! » Tout le monde rit. Je voudrais dire quelque chose. Mais quand j'essaie de me lever, tout se met à tourner et je retombe, je m'abats sur Vincent, qui pose sa main sur ma cuisse. Sa paume est large et chaude. Extérieurement, je ris avec les autres, mais à l'intérieur de moi il y a un grand silence.

À un moment, Kathleen me conduit vers l'endroit où nous avons regroupé nos bagages. « Tu dois attacher ton sleeping à celui de Vincent, viens, je vais te montrer comment. » Je ne suis pas certaine de vouloir faire ça. « Mais oui, tout le monde le fait, moi, j'attache le mien à celui d'André, allez, viens. »

Au loin, je vois Paul qui marche à l'aveuglette, les yeux bandés, quelqu'un a caché ses chaussures et il doit les retrouver, pieds nus entre les braises et les cailloux. Je voudrais leur dire d'arrêter, mais le souvenir de Pierre qui rit de moi puis celui de la main de Vincent sur ma cuisse me reviennent à l'esprit.

Je détourne les yeux, j'attache la fermeture éclair de mon sac de couchage à celle de Vincent et m'installe à l'intérieur en attendant je ne sais quoi.

« *Amazing, amazing grass* », entonnent les campeurs. Puis les rires s'espacent, la clameur s'éteint, j'entends un grésillement, ce sont les garçons qui pissent sur le feu pour l'éteindre.

Des pas s'approchent maintenant et je perçois le son d'une fermeture éclair, détachée, attachée, comme la forêt qui se refermait derrière nous quand nous la traversions dans notre toute première voiture achetée à crédit en Amérique — il y a des siècles, dans une autre vie.

Des mains brûlantes courent maintenant sur ma peau à des endroits inattendus et une haleine gorgée d'alcool cherche à se poser sur ma bouche. Un corps lourd m'écrase et je sens une pression contre mon ventre. Non, je ne veux pas, pas ça, au secours, pas ça! Il insiste, tire sur l'élastique de ma culotte, je ne veux pas, je donne des coups de pied, j'empoigne de toutes mes forces ses cheveux bouclés et blonds, je plante mes dents dans son épaule bronzée.

Il roule sur le côté, transpirant, et il hoquette: « Va-t'en, espèce de *slut*! » Puis il me repousse hors de l'espace chaud créé par nos deux sacs attachés. Pieds nus, je me dirige vers les braises tièdes au-dessus desquelles flotte encore l'odeur acide de l'urine. Je me roule en boule à même le sol frais. Mes vêtements sont imbibés de la sueur de Vincent, les aiguilles de pin collent sur ma peau humide. Je tremble de froid.

Quand je lève les yeux, j'aperçois, appuyée contre un arbre, la silhouette de Paul. Il pleure, immobile, comme lorsque je l'avais vu la première fois, le jour de mon arrivée au camp. Ses incisives brillent sous sa lèvre fendue. Son regard est fixé sur moi et il est dur comme la pierre.

*   *   *

Le lendemain, nous rentrons au camp en silence, sales, fourbus, comme des soldats qui reviennent de la guerre, la tête remplie d'images d'explosions, de sang et de morts.

Nous ne chantons pas, Vincent ne me regarde plus, Kathleen chuchote quelque chose à Anne en me jetant un coup d'œil en biais. Je voudrais parler à Paul qui traîne les pieds, plusieurs dizaines de mètres derrière le groupe, mais il n'y a plus rien à dire. J'ai le sentiment diffus d'avoir perdu toutes mes batailles.

Il suffit de quelques heures à peine pour que l'écho de notre nuit parvienne aux oreilles du directeur, qui est de retour au camp. Vincent et André sont congédiés sur-le-champ. Comme il n'y a pas de remplaçants, on reforme les groupes. Nous sommes convoqués à une grande assemblée à la cafétéria, où on nous dit que c'est assez, que maintenant tout va rentrer dans l'ordre.

Un silence coupable s'abat sur le camp des Pics-Bois. Dans ma cabine, le soir, j'essaie de me plonger dans un livre que je n'avais pas ouvert depuis mon arrivée, une histoire d'enfants dans le ghetto. Mais je n'ai pas le cœur à lire ce livre qui, à chaque page, m'oblige à me poser des questions. Qu'aurais-je fait, moi, dans les mêmes circonstances? Aurais-je protégé? Aurais-je dénoncé et vendu? Je ne suis plus du tout sûre de la réponse.

Quand j'évoque la scène devant le feu de camp éteint, quand je reconstitue le visage lunaire de Paul, avec les deux charbons au milieu, je sais que j'ai rejoint le camp des bourreaux. Quand je retourne à mon *Astérix,* ce n'est pas mieux : à chaque page, il y a le souvenir de Paul. Comment il m'expliquait l'humour de Goscinny avec sa lèvre retroussée au-dessus de ses dents. « Tu vois le barde dans l'arbre ? C'est parce qu'il chante mal. »

Alors, je ne lis rien. Le soir, je me couche dans mon lit, je fixe le plafond et je me demande si je suis la seule qui aurait pu sauver Paul. Kathleen est étrangement silencieuse elle aussi, elle passe les soirées à crever les points noirs sur son visage en scrutant son reflet dans le miroir de poche qu'elle a accroché au-dessus de son lit.

Je n'ose plus passer devant la cabine de Paul. Dans mes cauchemars, les nazis qui me poursuivent ont maintenant des visages familiers : ceux de Pierre, André ou Vincent.

* * *

Puis, Paul disparaît. Un matin, son nouveau moniteur trouve le lit vide, les draps bien pliés, l'oreiller placé bien droit sur la couverture de laine piquante. Sa valise est là, sous le lit. Apparemment, il n'a emporté qu'un sac à dos, laissant son pull chaud et son anorak suspendus à un crochet.

Au petit-déjeuner, le directeur du camp explique que nous ferons une battue dans la forêt pour le retrouver. « Il ne veut pas appeler la police, pour que le camp ne perde pas son image », dit Kathleen d'un air connaisseur, en versant du sirop sur ses crêpes.

Un silence étrange règne dans la cafétéria. En repartant, les moniteurs congédiés ont emporté leur musique. Mais plus personne, de toute façon, n'aurait eu le cœur à écouter Simon and Garfunkel chanter *Cecilia* ou *Bridge over Troubled Water*.

« Nous chercherons Paul aussi longtemps que

nous ne l'aurons pas retrouvé », décrète le directeur du camp. Il nous explique comment nous allons nous y prendre pour quadriller la forêt et retrouver le garçon perdu, l'enfant maigre qui pleurait en silence en fixant le vide.

Nous divisons le terrain en secteurs, de façon systématique, et nous marchons pendant des heures, entre les ronces et les broussailles. En avançant, je compte le nombre de pas, le multiplie par le nombre de campeurs, j'essaie d'estimer la superficie du territoire que nous traversons pendant des heures, jusqu'à la fin de la soirée, alors qu'une pluie tiède s'abat sur les collines, transperce nos imperméables et nos chaussures, imbibe même nos sous-vêtements, coule sur nos visages et nos cheveux, sans parvenir à nous laver de toutes nos fautes.

Nos recherches ne donnent rien. Pas le moindre signe d'une présence humaine au cœur de la forêt. Nous rentrons nous coucher et quelqu'un a l'idée de laisser un sac de nourriture — du pain, du jus, un pot de beurre d'arachide, des bananes — à l'intersection des sentiers qui mènent vers les différentes aires d'activités. Juste là où des flèches blanches pointent vers les terrains de tennis, l'enclos d'équitation ou la piste d'hébertisme, désormais inutilisés. Le lendemain matin, le sac a disparu.

Est-ce Paul qui l'a pris pour se nourrir ? Encouragés, nous recommençons nos recherches. De temps en temps, on entend un campeur s'écrier, il pense avoir vu le fugueur, mais ce n'était qu'un lièvre qui passait furti-

vement entre les arbres, ou une perdrix qui s'était envolée avec un vrombissement de moteur. Ou encore, sur un terrain nu, l'éclat d'un morceau de quartz qui scintille sous le soleil. À un moment, j'aperçois le directeur du camp appuyé contre un tronc d'arbre. Il tient son visage entre ses deux mains, comme s'il n'y avait personne pour le voir.

La sueur perle sur nos fronts, elle laisse une croûte salée sur nos lèvres. Le soleil chauffe le brouillard sans parvenir à le transpercer. Nous parlons peu, chacun est plongé dans ses pensées. Nous ne protestons pas contre cette corvée. Elle nous donne l'impression de faire quelque chose pour Paul. Et surtout, elle nous permet de ne pas penser.

Vers la fin de la matinée, je traîne derrière le groupe et je m'aperçois que Pierre a ralenti pour marcher à mes côtés. Il me regarde avec une expression inconnue, comme si ses yeux avaient des dents. Puis il me prend par le bras et me pousse contre un arbre. Ses lèvres sont molles et tièdes. Pendant qu'il m'embrasse, je cherche dans ma tête un mot pour décrire la texture de sa bouche, je pense à « capiteuse », mais je ne suis pas certaine de ce que cela signifie. Je pense aussi au dictionnaire que j'ai laissé sur ma table de chevet, dans ma chambre, j'évoque l'image de la femme dans une robe vaporeuse qui court dans des champs sous l'inscription « Je sème à tout vent ».

Pendant que mes pensées se bousculent, Pierre souffle sur moi son haleine de gomme à la cannelle. J'attends que ça finisse pour pouvoir dire que ça y est,

je l'ai fait. Je me demande qui décide quand ça doit se terminer. Finalement, c'est Pierre, qui se détache de moi un peu sèchement, l'air déçu.

Il court rattraper les autres et je le suis de loin, soulagée, mais aussi un peu honteuse. Ce n'est donc que ça? La saveur de cannelle artificielle laisse un arrière-goût désagréable dans ma bouche.

À midi, la mère de Paul arrive au camp. C'est une femme pâle, anguleuse, surmontée de cheveux très noirs. On dirait un oiseau chétif, une sorte de vautour anémique.

Je la vois gesticuler sur la place centrale du camp, tout à côté de la banderole des crapauds, avec ses jambes maigres et noueuses, presque obscènes de blancheur sous la minijupe rouge.

Son visage cireux est transpercé par une bouche aussi rouge que sa jupe. La mère de Paul regarde la fumée de sa cigarette avec une expression vide. Elle ne veut pas participer aux recherches. Elle crie: « Il faut appeler la police! »

Le dîner est servi à la cafétéria, mais je n'ai pas faim. Nous entendons le directeur du camp et la mère de Paul se disputer dans la maison de brique.

Leurs éclats de voix sont insupportables. Je décide de retourner dans la forêt, toute seule, avec quelques morceaux de pain enveloppés dans une serviette de table que j'ai enfouis dans ma poche. Comme l'autre jour, quand Paul et moi, nous nous étions parlé pour la première fois.

Je passe devant les canots et les ballons, je monte

vers la piste d'hébertisme, mais, au lieu de continuer sur le sentier, je décide de descendre vers la rive du lac. Je dois franchir un mur de branches touffues, je m'écorche les cuisses sur les chardons et les ronces. Puis j'entreprends de longer le lac, vers la baie et ses nénuphars. Le soleil projette des taches d'or entre les feuilles, dispersant enfin la brume.

Le sentier est ardu, je ne suis jamais venue ici, j'ignore s'il a été inspecté lors de nos battues. Je dois souvent m'accrocher à une branche ou à un tronc d'arbre pour ne pas glisser sur la pente boueuse. À un moment, je perds pied sur une pierre couverte de mousse et je tombe dans l'eau fraîche, d'où je ressors en m'agrippant à une racine. Sous les rayons drus du soleil, l'eau est couverte de petits diamants.

J'atteins enfin un rocher, où je m'assois en frissonnant. Je replie les genoux et j'attends que le soleil sèche ma peau. Un couple de canards bat des ailes et s'envole, me laissant seule avec la forêt.

Je reste comme ça pendant quelque temps. Trente minutes? Une heure? Puis je me tourne pour rentrer au camp, et là, coincé entre deux pierres, j'aperçois ce que je prends d'abord pour une grosse souche. C'est le corps de Paul qui flotte à la surface de l'eau.

Sirènes, crissements de pneus, bruits de moteur, gyrophares. Le corps de Paul hissé sur une civière, sa mère-oiseau perchée au-dessus de lui, la main sur la bouche comme pour retenir un cri. Puis l'ambulance qui dessine deux sillons dans le sentier de terre — l'ultime trace du passage de Paul au camp des Pics-Bois.

*   *   *

Après une courte enquête, la police a conclu à un accident : la pluie avait rendu la berge très glissante et le fond du lac se creusait abruptement à cet endroit. L'incident a été brièvement rapporté dans l'hebdomadaire local sous le titre : « Un garçon se noie en glissant dans le lac au camp des Pics-Bois ».

Mais le soir, dans la cabine où nous avons maintenant repris nos conversations, nous nous demandons si le garçon au bec-de-lièvre, l'enfant qui pleurait en silence en fixant sur le monde son regard figé, n'avait pas plongé délibérément dans l'eau du lac.

« On n'aurait peut-être pas dû le traiter comme ça… », suggère Anne au cours d'une de ces conversations, et c'est la seule fois où la question de notre responsabilité est clairement soumise au débat.

« De toute façon, il n'était pas normal, puis on ne le saura jamais », tranche Kathleen.

Je me dis qu'Anne a raison, mais je fais mine de bâiller et je m'enfouis sous les couvertures, comme pour dormir.

Peu à peu, nous recommençons à rire. Kathleen se rase de nouveau les jambes, et elle épile ses sourcils devant le petit miroir au-dessus de son lit. Anne me montre comment discipliner les mèches rebelles avec des pinces à cheveux. Le souvenir de Paul s'estompe. Un après-midi, je passe devant sa cabine sans détourner la tête. Dans la fenêtre où j'avais vu son spectre flotter dans la nuit, un autre garçon, dont je ne connais pas le nom, m'envoie la main et me sourit. « Salut, Mado ! » il me lance.

Je suis Mado, maintenant, et je sais comment grimper sur une corde, retourner une balle en revers et écarter mes lèvres en embrassant un garçon. Bientôt, je pourrai dire « pluie », « nuit » et « dix-huit » sans hésiter, en soufflant ces mots comme s'il n'y avait rien de plus naturel au monde. J'appartiens à ce camp et à ce paysage vallonné. La silhouette de Paul s'effiloche, et parfois je me demande s'il a vraiment existé.

Quand nos parents viennent nous chercher, dix jours après la fugue de Paul, le camp a déjà repris son aspect habituel, avec les séances de canot, les cours de tennis et d'équitation auxquels nous participons un peu par habitude, machinalement, mais aussi parce qu'il faut bien faire quelque chose.

En attendant le départ, nous échangeons nos adresses, et nous nous promettons de ne pas nous perdre de vue. « Viens me voir à Pointe-aux-Trembles, je te ferai des boucles dans les cheveux », dit Kathleen avec une chaleur qui me surprend.

Pierre vient me dire au revoir et j'ai peur qu'il n'essaie de m'embrasser, mais non, il ne fait que me tendre une main tiède et humide, puis il se tourne et s'éloigne de moi, les épaules penchées par en avant. Je remarque que le sillon de ses fesses pointe au-dessus de son short trop large. Il tourne la tête, me regarde, on dirait qu'il veut dire quelque chose. Puis il écarte les mains, il hausse les épaules, il se tourne et s'en va, l'air piteux.

Puis, Anne vient me serrer dans ses bras en m'invitant à lui rendre visite à Québec. Elle dit : « À bientôt, Mado. » Et c'est comme si elle avait fixé dans du ciment ce prénom qui sera dorénavant le mien.

*   *   *

Quand je vois papa bondir de la Plymouth bleue, je trouve qu'il a changé. Il paraît plus petit qu'avant, mais aussi plus distant. Comme un personnage de télévision.

« Tu t'es bien amusée ? » il demande.

— Oui, très bien.

— Tu parles anglais maintenant ?

— Ouais, un peu, je vous chanterai une chanson si vous voulez. »

Je suis sur le point d'entonner la chanson de Pierre, mais maman m'interrompt.

« Tu t'es fait des amies ? » demande-t-elle. Je la rassure : « Oui, beaucoup d'amies, je me suis très bien intégrée. »

Elle me serre dans ses bras et me pousse dans la Plymouth bleue, qui plonge dans la forêt.

La promesse

Je me souviens très bien du moment où je t'ai dit que je ne te remplacerais jamais. C'était un matin de printemps, nous émergions toutes deux d'une nuit difficile, toi surtout, tu avais passé des heures à te tortiller et à gémir, et, quand j'essayais de te soulager avec de l'eau ou du pain, tu détournais la tête d'un air indifférent pour continuer à te plaindre.

Dès que le ciel s'est éclairci, j'ai jeté un manteau léger par-dessus ma chemise de nuit, j'ai enfilé des espadrilles directement sur mes pieds nus, et nous sommes descendues vers le parc.

Dehors, la ville baignait dans un nuage gris, l'air était lourd et chargé de pollen. C'était l'heure où ceux qui rentrent très tard et ceux qui se lèvent très tôt se croisent en silence, tels des scaphandriers flottant dans leurs fuseaux horaires respectifs. J'avais de la peine à respirer et je devais m'arrêter tous les trois pas pour reprendre mon souffle. Tu marchais derrière moi en claudiquant, et j'ai remarqué que la bosse sur ton flanc avait encore enflé. Autour de nous, coureurs et cyclistes glissaient avec aisance dans leurs habits luisants. Il était sept heures du matin, et nous étions deux petites vieilles dans un parc.

À un moment, j'ai dû m'asseoir sur un banc pour me reposer et tu t'es couchée à mes pieds, inerte, presque morte. C'est là que l'idée d'avoir un jour un autre chien m'est apparue comme la pire des trahisons. Je me suis penchée pour caresser ta tête, juste là, derrière les oreilles, comme tu aimais, et je t'ai promis que, pour moi, il n'y en aurait jamais d'autre. Jamais.

Je savais alors que tu n'en avais plus pour longtemps. Mais je n'imaginais pas que j'aurais l'occasion de mettre ma promesse à l'épreuve aussi rapidement.

Quelques heures plus tard, alors que je poussais doucement ton museau vers un bol d'eau fraîche, tu t'es effondrée sur tes pattes flageolantes, et tes yeux se sont voilés, vides d'expression. Tu semblais peser mille fois ton poids ; il m'a fallu l'aide d'un voisin pour te hisser sur la banquette arrière de l'auto, enveloppée dans une couverture de laine.

En chemin vers la clinique vétérinaire, tu t'es relevée tout à coup et tu as regardé le monde défiler devant tes yeux, pour la dernière fois. Cette image de toi, immobile et résignée, a fait sauter une digue, et je ne comprends toujours pas comment j'ai pu trouver mon chemin, avec toute cette eau qui me bouchait la vue, brouillant les lumières de la ville en une traînée de bulles rouges et blanches, un magma effervescent et indistinct.

Une éternité plus tard, j'ai franchi la porte de la clinique. Tu n'as pas émis la moindre protestation quand deux brancardiers t'ont poussée et tirée pour t'installer sur la civière et t'emporter loin de moi. Tu as subi immédiatement une batterie de tests, et j'ai pensé que les animaux avaient bien de la chance. Mes propres séjours à l'hôpital ne m'avaient pas habituée à autant d'efficacité.

Mais ces examens ne nous ont rien appris de particulier, et le lendemain matin, après que ton corps eut été scruté, décortiqué au microscope, radiographié et scanné, tu as glissé dans le coma.

« Avec l'euthanasie et l'incinération, ce sera 2 300 dollars », a dit le vétérinaire en me tendant une boîte de kleenex, et j'ai compris que mon hôpital à moi n'avait pas que des inconvénients. J'ai brandi ma carte de crédit, puis j'ai choisi une urne en bois sculpté pour transporter tes cendres. Je suis revenue la chercher deux jours plus tard, après ton incinération. J'avais du mal à croire que ce contenant sans poids, pas plus haut qu'un demi-litre de lait, renfermait tout ce qui restait de toi.

« Achète-toi un nouveau chien ! » Ça venait de partout : mes amis, mes voisins, surtout les enfants, sans doute avaient-ils peur qu'en ton absence je ne leur fasse porter tout le poids de ma solitude. Sur leur planète où chaque jour se déroule selon un horaire défini, où toute minute correspond à une tâche à accomplir, tous les problèmes sont solubles pourvu qu'on y mette le prix. Le toit coule, on le fait réparer. L'auto tombe en panne, on la fait remorquer chez le mécanicien. Et quand un chien meurt, on en achète un nouveau. Logique et facile.

Mais moi, je détestais déjà tous les chiens que je croisais dans la rue ou dans l'ascenseur. J'en connaissais plusieurs, je m'étais souvent arrêtée pour parler avec leurs propriétaires lors de nos promenades quotidiennes. Ces bêtes qui t'avaient reniflée, mordillée, qui s'étaient parfois entortillées dans ta laisse, qui avaient poursuivi à tes côtés le même écureuil, comment faisaient-elles pour continuer à frétiller, sans toi? Comment osaient-elles être toujours vivantes?

Et puis, aucune n'avait dans le regard cette expression d'abandon souriant qui m'avait accompagnée pendant quinze ans, le temps de ta vie de chien. Je ressentais alors la même certitude que le jour où je me suis retrouvée veuve : après toi, je ne pourrais jamais aimer un autre animal. C'était l'évidence même.

Le printemps a passé et l'été aussi. J'ai enterré tes cendres à la campagne, dans ce boisé que tu aimais tant. J'ai commencé à apprécier mes nuits plus tranquilles et mes matins où je n'avais plus à aller au parc pour soulager ta vessie incontinente.

Tu ne sautais plus sur le lit de tout ton poids, tu ne vomissais plus sur le tapis, qui était tout décoloré tant je l'avais frotté pour en effacer tes dégâts. Je pouvais aller au cinéma à l'heure qui me plaisait, sans que tu me regardes partir avec ton air chargé de reproches. Et je n'avais plus à quitter à toute vitesse mes parties de bridge de crainte que tes ululements de désespoir ne m'aient créé de nouveaux ennemis parmi mes voisins.

Ma vie était devenue plus simple, et, quand toute cette liberté me donnait le vertige, je contournais le précipice en fermant les yeux, puis j'appelais une amie ou j'invitais mon fils à venir manger à la maison, avec ses enfants.

Il y a une semaine, je traversais le parc quand un nuage gris a recouvert tout le quartier, le menaçant d'une froide pluie d'automne. C'était comme dans le vers de Baudelaire, celui où le ciel bas et lourd pèse comme un couvercle, gorgé d'une menace sourde.

J'allais rebrousser chemin quand je l'ai vu : un chiot brun doré, avec de grandes oreilles, un bâtard qui tenait un peu du labrador et un peu de l'épagneul. Il fronçait son museau sous la bruine qui annonçait le déluge.

J'ai remonté mon regard jusqu'à son propriétaire : un homme d'un âge indéterminé, comme le sont souvent les survivants de toutes les sortes de guerres. Il avait des bras maigres, avec des veines saillantes et des tatouages. Il aurait fait exploser le détecteur de métal à l'aéroport avec tous les anneaux qu'il portait accrochés à divers endroits de son visage.

« Le voulez-vous ? C'est trente dollars », m'a-t-il dit avec un sourire en coin en désignant l'animal. Je ne savais pas s'il était sérieux ou s'il se moquait de moi.

C'était le couple le plus incongru que l'on puisse rencontrer. Toute la tendresse d'un chiot dans ces bras décharnés, prêts à je ne sais quel combat. J'hésitais : ce chien ne pouvait qu'être malade, traumatisé par de mauvais traitements. Il était sûrement infesté de puces. Je l'imaginai reniflant des humeurs humaines dans une ruelle tapissée de seringues et de préservatifs.

La pluie tombait maintenant à grosses gouttes sur nous trois. « Hé, madame, je vous le fais à vingt piasses », a dit l'homme. J'ai senti que je n'avais pas le choix : j'ai fouillé dans mon sac à main, je lui ai tendu l'argent et je suis repartie avec une boule de poils tout ébouriffés dans les bras.

Mes enfants n'en revenaient pas. Avec le temps, ils avaient fini par trouver que je m'en tirais très bien comme ça, après tout un chiot représenterait une source nouvelle de problèmes, y compris pour eux, si jamais je leur demandais de le prendre chez eux pour quelque temps, par exemple le jour où je me retrouverais une fois de plus à l'hôpital. Ou s'il décidait simplement de s'en prendre à leur sac à main en cuir tout neuf, ou à leurs chaussures.

« Maintenant, tu peux aller et venir à ta guise, tu es libre, pourquoi donc ne profites-tu pas de ta liberté ? » demandaient mes enfants, mais moi, je ne comprenais pas de quoi ils parlaient. Ignoraient-ils donc que la liberté qu'ils invoquaient est un trou sans fond, un désert de vacuité ? Les enfants, ils ont beau avoir cinquante ans, il faudrait toujours tout leur expliquer.

Mais je n'ai rien dit, pour ne pas provoquer leurs regards exaspérés. Et j'ai tout recommencé : assis, couché, apporte, va chercher, ici, là, reste. J'ai demandé des os au boucher, j'ai lavé le panier rembourré de tissu où tu avais passé tes dernières nuits, j'ai retrouvé ta laisse et ce matin, comme le ciel commençait tout juste à pâlir au-dessus des immeubles, nous avons marché vers le parc.

Tu vois, j'ai bien essayé de tenir ma promesse. Mais tu me manquais beaucoup trop.

Le point de bascule

L'appareil était tout simple : un boîtier en plastique noir, une manette pour faire avancer la pellicule après chaque exposition et un barillet qui pouvait être placé en position « jour » ou « nuit » mais qui, en fait, servait à enclencher ou à désactiver le flash. À côté du barillet, un déclencheur métallique permettait d'amorcer la prise de vue en faisant « clic ».

François devait avoir dix ans quand ses parents reçurent cet appareil photo rudimentaire, presque trop léger pour être vrai, en guise de cadeau pour un abonnement à un magazine, le *Sélection du Reader's Digest* ou le *National Geographic,* il ne s'en souvenait plus, depuis le temps.

Son père avait extirpé l'appareil de la boîte en carton livrée par le facteur, l'avait tourné à l'envers, puis penché sur le côté pour l'inspecter avec application, comme s'il cherchait une commande cachée, l'indice d'une complexité technique qui aurait rendu cet objet digne de son intérêt.

Il n'y en avait pas. Après avoir conclu que l'appareil n'était que ça — une boîte rectangulaire quasi nue, munie d'un objectif à focale unique, qui se refermait au terme d'un temps d'exposition invariable —, il le relégua sans appel au rôle de jouet et le remit à François, accompagné d'un billet de dix dollars tout fripé. « C'est assez pour faire développer ton premier rouleau de film, après tu devras payer avec ton argent de poche », décréta-t-il avant de se tourner vers des objets susceptibles de le placer devant des défis plus stimulants.

François posa ce cadeau inattendu sur sa table de chevet, à côté de la brochure d'instructions et du billet de dix dollars qu'il déplia et lissa avec soin. Avant de s'endormir, il prit l'appareil dans ses mains, chercha comment l'ouvrir, observa le cylindre sur lequel il fallait enrouler la pellicule. Puis il le reposa pour la nuit, l'objectif décapsulé braqué sur son oreiller, en se demandant si, de l'intérieur, quelqu'un le regarderait pendant son sommeil. Et si oui, que verrait-il au juste? Les ombres des arbres que le lampadaire faisait danser sur le mur, au-dessus de son lit? Pourrait-il capter ses rêves?

Pendant plusieurs nuits, François dormit ainsi devant l'œil rond et vitreux de l'objectif. « Alors, les photos? » lui demandait parfois son père, distraitement, comme s'il ne s'intéressait pas vraiment à sa réponse. François choisit de briser la glace le jour du sixième anniversaire de son frère Luc — qui apparut sur vingt-quatre photos souriant d'une incisive manquante et systématiquement amputé de la partie supérieure de son crâne.

Ces images de Luc invariablement privé de sa frange de cheveux blonds furent accueillies par une explosion de rires. Ha-ha-ha, t'as besoin de t'exercer un peu si tu veux devenir photographe, c'est pas demain que tu gagneras ta vie dans les mariages et les baptêmes !

La mésaventure donna corps à une de ces histoires que les adultes répètent inlassablement autour de la table de cuisine. Oncles, voisins, collègues de travail étaient tous invités à prendre connaissance de la maladresse de François, voyez-vous ça, il a coupé la tête de son frère, ça annonce toute une carrière de photographe, ça — tu me passes une autre bière ? —, donc, tu vois ici encore, pas de front, pas de cheveux...

François aurait pu être vexé par ces moqueries, mais il se sentait étrangement peu concerné par les critiques. Et au fond de lui, il aimait bien ses photos, malgré les regards un peu apitoyés que lui jetaient les adultes, entre deux geysers d'hilarité. Parmi tout ce fatras de têtes coupées, une photo lui paraissait particulièrement réussie. Elle montrait Luc les joues gonflées d'air alors qu'il s'apprêtait à souffler sur son gâteau d'anniversaire piqué de six bougies tressées en spirale, avec de la cire jaune et rouge.

Les petites flammes se dressaient encore toutes droites et créaient des reflets de lucioles dans les yeux de Luc. Une fraction de seconde plus tard, l'air s'échapperait de la bouche du garçon pour les faire vaciller, mais la photo avait été prise juste avant, dans un moment où rien ne s'était encore passé, mais qui contenait déjà toute l'action à venir. Un instant qui ne pouvait plus revenir en arrière, juché au bord d'un geste désormais inéluctable.

François fut longtemps incapable d'expliquer l'émotion qui le saisissait chaque fois qu'il fixait cette photo, cherchant à percer son mystère. Il semblait avoir capté une sorte de moment vide, une sorte d'instant charnière, perché entre deux réalités. D'un côté de la frontière, des bougies chaudes laissaient tomber leur coulis de cire pour former un monticule dégoulinant sur le glaçage au chocolat. De l'autre côté, les flammes se couchaient sous le coup de vent propulsé par les lèvres de Luc.

Entre ces deux mondes s'insérait une fente minuscule, une microseconde qui n'appartenait ni au passé ni à l'avenir, et qui serait tombée dans un trou noir, sans laisser de traces, si François n'avait pas appuyé sur le bouton de son appareil primitif exactement là, à ce moment précis, ni plus tôt ni plus tard.

Sans lui, sans son doigt qui a actionné le déclencheur en y appliquant une pression particulière, l'image de Luc les joues remplies d'air devant la flamme encore intacte des bougies aurait sombré dans l'oubli, car qui peut se rappeler un moment où il ne s'est absolument rien passé?

Cette photo suivit François dans tous ses voyages et dans tous ses appartements, du six et demie qu'il partagea avec trois étudiants, rue Frontenac près d'Ontario, au bungalow de Boucherville où il vécut pendant plusieurs années avec sa jeune famille, et à la chambre meublée où il atterrit au lendemain de son divorce, allégé du poids de ses possessions.

Cette image maladroite, mal cadrée, estropiant

son sujet, lui procurait un sentiment trouble, mélange d'excitation et d'anxiété, une sensation qu'il chercha à reproduire bien avant d'avoir su la nommer. Peu importe ce qu'il photographiait, il tentait toujours de capter cet instant retenu, immobile, ce point de bascule porteur d'une action imminente, mais qui n'a pas encore commencé à se matérialiser.

François apprit vite à cadrer ses images de manière à obtenir des commentaires approbatifs — il lui suffisait de faire entrer dans la prise de vue des objets entiers, comprenant un début et une fin. « Tu t'es drôlement amélioré, regardez comme ses photos sont bonnes maintenant, un vrai pro », le félicitaient désormais tous ceux qui l'avaient d'abord confiné dans le rôle d'arracheur de scalps.

Une nouvelle réalité s'imposa parmi ses proches : François et son appareil photo formaient une entité inséparable, le boîtier en bandoulière, puis la main qui le soulève, qui place le viseur face à l'œil gauche, le doigt qui guette sa proie et qui s'abat, clic-clic. Tout cela devint banal, entendu, et l'attention des adultes se porta ailleurs. François put donc continuer à braquer son appareil ici et là, à sa guise. Il y consacra tout son argent de poche, puis tout son salaire de gardien d'enfants ou de livreur à vélo pour le dépanneur du quartier.

Photographier, porter le rouleau dans son tube de métal jaune au laboratoire, choisir le format des impressions, leur fini glacé ou mat, toujours à la recherche du même frisson, celui qu'avaient suscité les flammes de six bougies bicolores captées dans leur dernier moment de gloire, ignorantes de leur mort inévitable.

Le pied du plongeur encore posé sur le tremplin, mais déjà sur le point de s'en arracher. La goutte d'eau trop lourde pour rester attachée à la branche, mais encore maintenue en place par une ultime molécule. La main qui prend son élan, avant de projeter un galet à la surface de l'eau. Le chat sur le point de lâcher prise, qui va bientôt glisser sur le tronc de l'arbre. Le flocon de neige qui frôlera bientôt de ses pointes fondantes le verre de l'objectif…

Il sentait confusément que les éléments visuels qui composaient ses photos n'étaient qu'un prétexte, qu'ils étaient à la rigueur accessoires, que son véritable sujet était ailleurs, mais où ?

Les gens à qui il montrait les photos prises lors des camps scouts, des sorties scolaires, des vacances de ski, des week-ends au bord du lac, des premières danses, des premières cuites, n'y lisaient que ça — des skieurs qui mènent leur course de spermatozoïdes géants sur la paroi enneigée d'une montagne, des enfants qui s'ébattent dans l'eau, des couples enlacés dans un sous-sol sombre. François, lui, voyait ce que ces images annonçaient : la chute, le plongeon raté, la main bientôt dans les cheveux, la lourde réalité d'un dénouement inévitable… Comme si ces clichés ne contenaient pas seulement des éléments d'espace, mais qu'ils renfermaient aussi d'infimes particules de temps.

Il travailla davantage, gagna plus d'argent,

s'acheta un appareil plus perfectionné qui lui permit de saisir des instants de plus en plus fugaces, grâce à des ajustements de plus en plus précis. L'année de ses quinze ans, il aménagea une chambre noire dans le sous-sol du semi-détaché familial, et là, sous la lumière d'une lampe infrarouge et dans l'odeur corrosive des acides, il passa des heures à guetter, le cœur battant, les images qui affleuraient à la surface du papier ondulant dans le bac de révélateur.

C'est au cégep, pendant un cours de mathématiques, que François eut ce qu'il appela sa « révélation ». Le professeur venait de tracer au tableau une courbe qui s'éloignait de l'abscisse et de l'ordonnée en poursuivant une ascension de plus en plus imperceptible. La courbe tend vers l'infini, mais elle ne l'atteindra jamais, c'est ce qu'on appelle une fonction intégrale, expliqua le professeur — ou du moins, c'est ce qu'en retint François.

Chaque fraction d'espace peut être divisée et subdivisée encore, comprit-il. La courbe est condamnée à filer vers un ciel inaccessible, à le frôler jusqu'à la fin des temps d'une distance infinitésimale.

Mes photos, pensa-t-il alors, tendent elles aussi vers quelque chose. Mais comme une courbe intégrale qui échapperait à sa fatalité, elles sont prises juste au moment d'être projetées hors de l'infini, de s'incarner dans toute la pesanteur des choses qui ont un début, un développement et une fin.

C'était l'année où la navette *Challenger* explosa peu après son lancement, faisant gicler ses débris de matière et de rêves. La télévision projeta ces images à l'infini — la fusée qui s'élève en crachant des cumulus de fumée, puis le doute, la cassure, le commentaire pragmatique d'un technicien de la Nasa, « *There is a major dysfunction* », des visages qui se figent dans l'appréhension de la catastrophe, une fraction de seconde avant la désintégration.

Les images de la navette condamnée et celles de la courbe qui vole vers l'infini s'entremêlèrent dans l'esprit de François. Avant le retour brutal dans l'atmosphère terrestre, il y avait forcément eu le tout dernier instant, une ultime parcelle de temps avant que tout ne bascule. « Dans le fond, mes photos, c'est cet instant précis, pensa François. Le temps où tout est possible, le temps où plus rien n'est possible... »

*　*　*

Cet automne-là, François poursuivit distraitement ses cours d'administration, oubliant de se préparer pour ses examens et de remettre ses travaux. Le soir, dans sa chambre noire, il fouillait dans ses vieilles pellicules, développait des sections de photos, faisant voisiner des scènes diverses sur la même feuille de papier photographique. Des doigts aux jointures rugueuses se posant sur des cheveux lisses et longs, une flamme sur le point d'embraser un mégot, une bouche sur le point de sourire, une bouteille de vodka renversée au-dessus de lèvres ouvertes, juste avant de libérer son liquide brûlant.

Un système de caches lui permettait de faire

émerger ces images côte à côte sur la même feuille blanche. Et pendant que les composés chimiques y traçaient de nouveaux contours, il s'allumait un joint et planait dans la vapeur des acides et de la marijuana.

Cette époque mit définitivement fin à sa carrière de gestionnaire, mais c'est là, dans son réduit sombre imprégné d'odeurs d'herbe et d'acides, que naquit son exposition intitulée, grâce à un ultime savoir arraché à son dernier cours de mathématiques, *Les Intégrales*.

Il proposa le projet à la direction du cégep, qui organisait, chaque année, une exposition des meilleurs travaux des étudiants. Mais à ce moment-là, ses résultats scolaires avaient périclité à un point tel qu'il était sûr d'échouer dans la majorité de ses cours. Et puis, ses photomontages ne répondaient à aucune exigence scolaire — il ne suivait aucun cours d'art, après tout —, et ses rares présences dans les couloirs bondés du collège ne lui avaient permis de tisser aucun lien de connivence avec les responsables de l'événement, qui, de manière prévisible, rejetèrent sa proposition.

Le fantôme scolaire qu'il était devenu glissa donc naturellement dans le monde adulte. Il lui fallut quelques années de boulots alimentaires, ponctués d'ateliers de photo ici et là, pour finalement convaincre le centre culturel de son quartier de présenter l'exposition qui allait le transformer officiellement en photographe.

* * *

« L'auteur des *Intégrales* a su traduire l'angoisse du temps qui passe dans des images qui captent des gestes banals, comme allumer une cigarette, fermer la portière d'une auto ou secouer la neige sur la manche de son manteau », jugea un critique d'art qui s'était arrêté au centre culturel par hasard, après avoir raté l'autobus qui devait le mener jusqu'à la station de métro la plus proche.

Plutôt qu'attendre l'autobus suivant dans la rue, sous une neige mouillée qui lui glaçait les jointures, le journaliste alla se réfugier devant les photos de François. Il y passa une bonne heure, se laissant submerger par une émotion subtile, une nostalgie teintée d'inquiétude, mais aussi par la fébrilité à l'idée du pouvoir qu'il détenait désormais : celui de tirer de l'anonymat un artiste méconnu.

François avait tout juste vingt-deux ans, gagnait sa vie comme gardien dans un parking du centre-ville, vivait dans un appartement aux murs lézardés qui sentait le tapis moisi et l'urine de chat. Du jour au lendemain, il fut catapulté sur une autre planète : à la radio et dans une revue concurrente, on lui posa mille questions, sur le concept de l'exposition, sur sa démarche artistique, et sur son titre, *Les Intégrales*. Ses réponses hésitantes et sa maladresse devant les médias lui donnèrent un vernis involontaire d'authenticité, il devint « le photographe-gardien-de-parking », son exposition fut prolongée d'un mois, puis elle amorça une tournée régionale.

« Je ne pensais vraiment pas que mon projet marcherait aussi bien », avouait François aux journalistes des grands médias qui commençaient maintenant à s'intéresser à lui. Cette effervescence ne durerait que quelques mois, mais ce fut assez pour lui permettre de changer de vie. Il emménagea dans un appartement dont le balcon bordé d'érables permettait d'apercevoir le renflement vert du mont Royal. Un groupe de photographes expérimentaux l'invitèrent à partager leur atelier. Mais surtout, l'hebdomadaire qui l'avait fait connaître — une nouvelle publication culturelle qui visait un public jeune, urbain et branché — lui proposa des contrats de photo, d'abord occasionnellement, puis de manière plus régulière.

Il continua donc à faire ce qu'il avait toujours fait — regarder, viser, cadrer, appuyer, développer —, mais maintenant, on le payait pour ça, ce qui lui parut un luxe inespéré. Il avait désormais accès à un studio équipé de réflecteurs argentés, et à un laboratoire professionnel pour faire tirer ses images.

Il photographia donc des cinéastes et des sculpteurs, des installations surréalistes, des graffiteurs et des danseurs nus. Il obtint un poste régulier, déménagea encore, et un soir, alors qu'il célébrait son vingt-quatrième anniversaire, une fille au visage étrangement pâle percé d'un sourire ironique franchit la porte de son appartement pour y rester pendant trois jours et quatre nuits — avant de partir chercher un sac de vêtements, une boîte de livres et des draps fleuris, et de revenir s'installer chez lui pour de bon. Elle s'appelait Françoise, et cela leur sembla providentiel, à tous deux.

«Regarde la ligne, là!» s'écria Françoise, qui brandissait une languette de plastique sous le nez de François. Au milieu de la languette, une ligne droite fendait maintenant à la verticale la fenêtre ronde où ils venaient de voir émerger un trait horizontal. Il n'y avait pas de doute, le test était positif.

« Bouge pas », cria François, qui courait déjà chercher son appareil photo. Il découvrit l'objectif, choisit une vitesse d'exposition lente, en raison du faible éclairage : là, dans la paume de la femme qu'il aimait, un enfant donnait le premier signe d'une vie à venir, un signe en forme de croix, et si un instant méritait d'exister, c'était bien celui-ci, pensa-t-il.

La grossesse se déroula sans histoire, exception faite des désagréments habituels — nausées, brûlures d'estomac, somnolence —, et encore, en version allégée. Françoise eut droit à des photos de dos, de trois quarts, de profil et de face. François guetta pendant des heures sur son ventre le tremblement annonçant le prochain mouvement du bébé, la forme naissante d'une fesse ou d'un pied. Ils passèrent l'été dans une vieille maison au bord d'un lac, qu'ils louèrent avec un couple d'amis, Anne et Julien. Anne attendait un enfant, elle aussi. Des dizaines de photos furent prises cet été-là, images de ventres proéminents, de seins gorgés, de visages épanouis par la maternité imminente.

François pensa d'abord qu'il venait d'amorcer, sur

un ton plus intime et personnel, une sorte de deuxième chapitre des *Intégrales,* et la progression de deux grossesses simultanées lui donna l'idée d'une nouvelle exposition. C'était comme si l'un de ces moments suspendus s'était déployé sur une période de neuf mois — comme s'il réalisait un voyage au cœur d'un de ces instants, le fractionnant encore et encore.

Mais il avait beau multiplier les photos, son concept lui semblait de plus en plus abstrait. Au fond de lui, il savait qu'il se trouvait ailleurs, que ses images ne transportaient aucun vertige métaphysique. Et qu'en fait il croquait béatement les clichés à la fois banals et uniques que l'on trouve dans les albums de photos de toutes les familles.

Sur la plage de sable gris, les deux hommes parlaient de leurs appréhensions en fumant des cigarettes, tandis que Françoise et Anne chassaient la fumée avec des moues de dégoût, tout en comparant leurs layettes, leurs soutiens-gorge d'allaitement et leurs méthodes pour neutraliser les nausées matinales. Et François était submergé par un monde charnel, concret et rempli de questions pratiques. Un monde où il ne pouvait plus se contenter du rôle d'observateur.

Le soir, les deux couples discutaient de contractions, d'épisiotomie, du muscle du périnée et de la position qui favorise le mieux l'expulsion du fœtus. Parfois, ils s'aventuraient au-delà de la perspective, mystérieuse et effrayante, de l'accouchement, pour parler de méthodes d'éducation, du partage des tâches et de la différence entre les filles et les garçons — qui était, de l'avis des deux femmes, une simple invention culturelle, un carcan bourgeois et idéologique.

« Même si j'ai un garçon, je lui donnerai des poupées, il faut qu'il développe sa part de féminité, arguait Françoise, qui venait de lire *Le Deuxième Sexe* de Simone de Beauvoir.

— Je ne sais pas, je ne sais pas, il faudrait quand même lui donner quelques camions, non ? soupirait François.

— Nous avons tout calculé, Julien se lèvera la nuit pour donner un biberon au bébé et me permettre de dormir, il fera aussi le lavage et les repas, surtout pendant les premières semaines », énumérait Anne.

Elle fut la première à accoucher, peu avant la fin de l'été, deux jours de guerre de tranchées qui ne se déroulèrent pas du tout comme elle l'avait prévu. Elle n'eut même pas la force de regarder émerger la tête de son fils, Thomas, dans le miroir braqué sur le champ de bataille ensanglanté entre ses jambes.

Deux semaines plus tard, Françoise boucla sa petite valise où elle avait rangé sa robe de chambre, des pyjamas de bébé jaunes et verts, et un roman qu'à sa grande surprise elle n'eut même pas le temps d'ouvrir entre le moment où les chutes du Niagara inondèrent ses pieds, en pleine nuit devant l'évier de la cuisine, et celui où elle s'assit sur le siège arrière de sa voiture, serrant entre ses bras un poupon emmailloté : Alexis.

Le livre que lisait alors Françoise est resté marqué à la même page pendant les six mois qui suivirent, alors que la vie sembla former un magma sans jours ni nuits, composé de séquences de couches à changer, de pyjamas à enlever ou à remettre, d'eau du bain où l'on plonge le coude, de fesses gercées que l'on soigne par le Zincofax, des semaines marquées par l'odeur de lait suri et de talc.

Françoise se disait que la nature avait été peu généreuse en dotant les hommes, mais surtout les femmes, de deux bras seulement, alors qu'il en faut au moins un pour transporter un nourrisson et qu'il y a tant d'autres choses à faire : récurer, laver, chauffer, tiédir, ranger ou plier.

François mitrailla Alexis de son appareil photo, immortalisa son premier sourire, sa première dent et ses premiers cheveux, et ces images n'exprimaient rien d'autre que l'ébahissement émerveillé qu'il éprouvait devant ce poupon rose et joufflu qui accomplissait sans cesse de nouveaux exploits, et qui remplissait jusqu'aux moindres recoins de sa vie.

Il oublia ses projets d'exposition, se concentra sur son travail qu'il exécutait de manière un peu mécanique, camouflant son manque d'inspiration derrière ses compétences techniques.

Il décrocha un emploi dans un quotidien, dut jongler avec des horaires difficiles, mais son salaire justifiait les heures qu'il passait maintenant loin de Françoise et d'Alexis, du moins c'est ce qu'il pensait. Il photographiait désormais des politiciens, des incendies et des accidents, et parfois aussi des modèles trop maigres vêtus de robes improbables, pour la section mode du journal.

Quand Alexis eut neuf mois, Françoise trouva du travail dans une école de français pour immigrants, passa un an à expliquer la différence entre le passé composé et l'imparfait, l'accent aigu et l'accent grave, à parler de cabanes à sucre et de Félix Leclerc, puis elle fut de nouveau enceinte et donna naissance à une fille prénommée Rosalie. La jeune famille prit alors une décision qui, à peine trois ans plus tôt, lui aurait paru comme la pire des hérésies : elle déménagea en banlieue, dans un bungalow pourvu d'une piscine hors terre, d'un garage double, d'une haie de lilas et d'un carré de pelouse constamment attaqué par les pissenlits.

Parfois, François s'étonnait d'être cet homme qui pousse la tondeuse ou frotte son auto avec un gant de peluche pour faire briller la carrosserie, mais le plus souvent cela lui paraissait naturel, comme une évidence, le déroulement normal de la vie, de SA vie.

La preuve, c'est que ses amis Anne et Julien venaient d'emménager dans la maison voisine. Ils avaient maintenant trois enfants, Thomas, l'aîné, et des jumeaux qui couraient sans cesse dans des directions opposées.

Les deux couples allaient pouvoir s'inviter mutuellement pour prendre l'apéro ou partager des grillades tandis que les enfants joueraient dans leurs cours clôturées et qu'ils leur crieraient de ne pas lancer le ballon dans les plates-bandes, de ne pas rouler trop vite à vélo et de ne pas arracher les jouets des plus petits.

François pensait encore parfois à ce qu'il appelait sa « période intégrale », cette époque durant laquelle il chassait les moments où la vie chavire sous le souffle du temps. Mais ce souvenir lui paraissait lointain, presque transparent. Qui était au juste ce jeune homme qui passait tout son temps libre à fixer sur papier ce que d'autres ne voyaient pas ? Était-ce bien lui, le même François que celui qui épongeait la table avec soin, poussait la balançoire, changeait le filtre de la piscine, vérifiait le pH de l'eau et livrait une guerre acharnée contre les mauvaises herbes ?

La pulsion qui, autrefois, attirait son regard devant le frémissement d'une main, ou la courbe que dessinent dans l'air des cheveux de femme sur le point de se dénouer, qu'avait-elle à voir avec les photos d'actualité et les portraits d'enfants qu'il gardait dans ses albums et ses classeurs ?

Sa vie était pleine, maintenant, il n'y avait pas de place pour l'infini, rien ne tendait vers rien, rien ne semblait sur le point de chavirer, et tout se suffisait, répondant à des exigences anciennes et rassurantes.

Les après-midi d'été, un verre de kir ou de gin tonic à la main, les deux couples riaient de leur naïveté passée. « Tu te rappelles quand je disais qu'il fallait donner des poupées aux garçons ? disait Françoise. Eh bien, quand j'en ai donné une à Alexis, il l'a prise par le dos pour faire vroum-vroum par terre.

— Oui, c'est pareil avec Thomas, je crois qu'il est venu au monde avec un gène en forme de roue », riait Anne.

Ils discutaient du choix des écoles — privée? publique? — et des meilleures activités pour leurs garçons — hockey? soccer? Parfois, François s'asseyait seul au fond de la cour, dans un fauteuil en osier enfoui sous les lilas, pour promener son regard sur tout ce qui, désormais, lui appartenait. Ma maison, mon auto, ma femme, mes enfants, ma table de jardin, mon parasol, mon pin blanc, mon olivier de Russie, mes plates-bandes de mauves, d'hémérocalles et de dahlias : le simple fait de décliner toutes ses possessions, de répéter ce pronom possessif à la première personne du singulier, le comblait d'un sentiment de plénitude, comme lorsqu'on allume une cigarette après avoir bien mangé. Sauf qu'il ne fumait plus, depuis la naissance de Rosalie.

De temps en temps, il repensait à ses séances de photo, à sa chasse à ces instants tendus, sur le point de basculer vers quelque chose. Mais ce souvenir était de plus en plus flou, il s'effilochait, comme s'il avait appartenu à quelqu'un d'autre, comme s'il s'agissait d'un film, ou d'une histoire qu'on lui aurait racontée.

*   *   *

La mer enflait, soulevant les vagues jusqu'à ce qu'elles s'immobilisent pendant un moment infime au-dessus des baigneurs, tels des rapaces guettant leur proie avant de s'abattre sur le sable mouillé, avec un chuintement incessant.

François sortit son appareil de son étui de cuir,

braqua l'objectif sur l'océan, plissa les yeux, aveuglé par les éclaboussures du soleil. Au loin, à contre-jour, il distinguait les silhouettes sombres d'Alexis et de Thomas qui apparaissaient puis disparaissaient sous l'eau, ballottés par la houle. Instinctivement, sans y penser, il se mit à attendre le moment précis où la crinière de la vague atteint son apogée, retenant son souffle avant de piquer vers le sol.

Ils étaient là depuis une semaine, avec leurs amis Anne et Julien, et les cinq enfants. Cet été-là, Alexis et Thomas allaient célébrer leur douzième anniversaire, et les deux familles avant décidé de souligner ce passage par des vacances communes, faisant écho à cet été lointain juste avant la naissance des deux garçons.

Ils roulèrent donc pendant deux jours, jusqu'à l'embarcadère de Souris, d'où partait le bateau qui allait les amener aux Îles-de-la-Madeleine. Là, ils installèrent leurs tentes dans un camping donnant sur la plage, où ils vivaient, depuis une semaine, avec le sel de la mer qui formait une croûte sur leur peau et le sable qui s'infiltrait partout, dans leurs sacs de couchage, leurs cheveux et leurs sandwichs.

François regardait Alexis et Rosalie, ses enfants, et n'en revenait pas de les voir si grands, si indépendants de lui — à peine venaient-ils réclamer un jus, un biscuit ou une serviette avant d'empoigner leur planche de surf et de courir vers la mer, pour lancer leur corps contre les vagues.

Autant François s'était moulé avec aisance dans le rôle de jeune papa, celui qui berce, donne la main, nourrit et débarbouille, autant le fossé qui le séparait désormais d'Alexis et, dans une moindre mesure, de Rosalie lui donnait le vertige. Contrairement à ces hommes maladroits avec les nourrissons, ces pères qui ne se réalisent pleinement qu'en jouant au hockey ou au baseball avec des gamins à qui ils peuvent montrer à pêcher, à tirer un cerf-volant ou à distinguer la Grande Ourse, François perdait pied devant ce garçon aux bras déjà arrondis par la courbe des biceps, à la peau mate, hâlée par le soleil. Un garçon dont le visage commençait à perdre les rondeurs de l'enfance et qui semblait emporté par un mouvement incessant, un besoin constant de sauter, d'attraper, de courir, de frapper.

Quand il le regardait disparaître sous les vagues, François avait le sentiment d'observer un étranger — et cette vision lui faisait se demander s'il n'était pas passé un peu à côté de sa propre enfance. Car, à l'âge de son fils, François était un enfant trop maigre qui regardait le monde à travers l'objectif de son appareil, au lieu de plonger au cœur de l'action.

Ces années passées à regarder les autres laissèrent des traces, et encore maintenant il ne se sentait pas à son aise sur des patins, skiait sans élégance sur des pentes de difficulté moyenne et nageait avec maladresse, convaincu que seul un miracle le maintenait à la surface de l'eau et qu'un moment d'inattention de sa part suffirait pour qu'une force maléfique l'entraîne vers le fond.

« Si on allait vers les cavernes, avec nos pneumatiques ? » proposa-t-il à Alexis et à Thomas, alors que les deux garçons sautillaient au-dessus de leurs parents, les aspergeant de gouttelettes d'eau froide et salée. Ils partiraient tous les trois, lui et les deux grands, imagina François ; voilà qui donnerait un répit aux autres adultes, et lui, il ferait comme font tous les pères depuis la nuit des temps : il guiderait son fils grandissant dans une aventure qui le ferait mûrir, tout en scellant entre eux les liens d'une solidarité indestructible.

François s'élança sur les vagues avec son matelas tendu par l'air qu'il venait d'arracher à ses poumons avec une telle fougue qu'il en était encore tout étourdi. Les deux garçons le rejoignirent et se mirent à l'asperger d'eau en riant. « Plus vite, papa ! » criait Alexis, et François essaya de chasser l'inquiétude qui le gagnait à mesure qu'ils s'éloignaient de la rive.

Ils longèrent la côte pendant une vingtaine de minutes, au-delà du point de rupture des vagues. Ils avançaient rapidement, poussés par la brise, et atteignirent bientôt une baie lovée entre des parois abruptes de terre rousse, où quelques grottes creusaient d'immenses caries.

« Suivez le guide ! » cria François, rempli d'une joyeuse assurance. Non, il n'avait pas peur. Oui, il serait ce père qui donne à ses enfants un exemple d'audace et de courage physique.

Ils nagèrent jusqu'au fond de la grotte, explorèrent ses anfractuosités sombres et humides, couvertes par endroits d'une mousse luisante. Les garçons jouèrent à plonger sous les matelas, essayèrent de renverser François, qui s'agrippa à son pneumatique. Depuis combien de temps étaient-ils là ? Cinq minutes ? Une heure ? Il eut l'impression d'avoir perdu la notion du temps quand il s'aperçut qu'au-delà de l'entrée de la grotte le ciel était devenu gris anthracite, comme avant un orage. « J'ai froid », dit Thomas. « Je veux revenir sur la plage », renchérit Alexis.

« Suivez le guide ! » répéta François en tournant son matelas pour faire face au large. Ils battirent l'eau avec leurs mains et leurs pieds pendant quelque temps — deux minutes ? dix ? —, mais ils ne semblaient pas avancer. Ils avaient beau essayer de se propulser avec leurs jambes, en prenant appui sur la paroi de la grotte, rien à faire : on aurait dit qu'une main invisible les maintenait en place. Une main ou le courant ? François sentit un frisson glacial parcourir son dos : la marée ! C'était l'heure de la marée montante.

« Papa, on n'avance pas ! » se plaignit Alexis. François mesura l'espace entre la surface de l'eau et le plafond de la grotte : il semblait s'être contracté, comme s'ils avaient tous trois grandi tout à coup.

« Allez, on fait une course ! » lança-t-il sur un ton faussement joyeux, espérant que l'esprit de compétition déculperait les forces des deux garçons. « Au mâ-ât hissons-ons les voi-a-les », scanda-t-il pour leur donner du courage. Ils ramaient maintenant de toutes leurs forces, immergeant leurs bras dans l'eau dans un mouvement de brasse papillon, cisaillant la mer avec leurs jambes — et François ne savait plus si le poids qu'il ressentait contre sa poitrine était produit par la pression du courant ou par la peur. Il changea de chanson — « Rame, rame, ra-ame donc, le tour du monde, le tour du monde » —, mais leur monde se faisait de plus en plus petit, alors que l'océan qui enflait les rapprochait du sommet de la grotte. « Accrochez-vous! » cria encore François, puis tout devint noir.

Quand il ouvrit les yeux, les nuages sombres avaient cédé la place à un ciel strié de blanc au milieu duquel apparut le visage contracté de Françoise. Il respira à fond, tenta de se relever, mais tout tournait autour de lui. Quand il essaya de déglutir, il sentit dans sa gorge la consistance râpeuse du sable.

« Où sont-ils? Alexis? Thomas? » hoqueta-t-il. Françoise se penchait toujours au-dessus de lui, en silence, et il eut l'impression que tous les nuages noirs qui avaient quitté l'horizon avaient trouvé refuge dans ses yeux.

« Les garçons sont partis se réchauffer », finit par dire Françoise. Puis elle ajouta : « Tu les as abandonnés dans la grotte, mais ils se sont débrouillés, ils ont réussi à revenir. »

* * *

François passa des années à tenter de reconstituer ce qui s'était passé au juste cet après-midi-là. Avait-il vraiment laissé son fils se battre seul contre la marée? Quand Alexis accepta d'en parler avec son père, plusieurs semaines après les vacances — les dernières que François passa avec sa famille —, sa voix était chargée de reproches. « On te criait de nous attendre, mais tu nous écoutais pas, tu es sorti de la grotte et tu nageais vers la plage », dit-il avant de repartir vers sa chambre en traînant les pieds.

« Mais j'ai perdu conscience », plaida François auprès de sa femme. « Pour un inconscient, tu nageais pas mal vite », rétorqua-t-elle dans une de leurs dernières conversations avant le divorce.

Il ne la croyait pas, ne pouvait pas se permettre de la croire. De temps en temps, comme dans un rêve éveillé, il revoyait la mer qui fonçait sur lui, qui remplissait sa bouche et ses narines, il se voyait recrachant cette eau, s'entendait appeler à l'aide, puis percevait dans ses oreilles l'écho des cris des garçons — attends, papa, attends, François. Mais ces souvenirs ressemblaient tellement à ce qu'on lui avait raconté, peut-être les avait-il forgés après coup, pour remplir ce qui pour lui n'était qu'une page vierge ?

Mais alors, à quel moment précis cette journée de plaisir partagé s'était-elle transformée en cauchemar ? Y avait-il un seul moment, un de ces instants intégraux, où il s'était retrouvé impuissant devant le cours déjà inscrit des événements ? Avait-il seulement tenté de lutter ?

Autour de lui, il ne vit plus que des regards accablants. Comment, pourquoi un père peut-il fuir ainsi, laisser son enfant seul face aux éléments ? En vérité, se disait François, il n'y avait qu'une seule réponse à cette question : c'est parce qu'il était un lâche. C'est ce que disaient tous les yeux qui le regardaient, même ceux de ses collègues qui tentaient faiblement de le convaincre que ça aurait pu arriver à n'importe qui, qu'il était sans doute parti chercher du secours. Mais leur regard restait un miroir où il devinait le reflet de sa lâcheté.

Avec le temps, le simple fait de regarder devint intolérable. Prendre des photos? Immortaliser? *Les Intégrales*? Tout lui parut vain, futile, et quel droit avait-il, lui, de décider de la valeur des images qui entraient dans ses yeux, lui qui n'était qu'un homme faible, égoïste, souffrant d'une absence de courage absolue, intégrale?

Il abandonna son travail: tous les gestes qu'exigeait son métier lui étaient devenus physiquement insupportables. Et il passa des semaines, des mois, il ne savait plus, dans un studio meublé où il avait échoué avec quelques sacs remplis de vêtements.

Il vécut de prestations de chômage, puis d'allocations sociales. Il maigrit et laissa une barbe presque blanche pousser sur ses joues creuses. Après quelques tentatives, il cessa de téléphoner à ses enfants. Leur silence était insoutenable, et il n'y pouvait rien. Il passait des heures à ne rien faire, s'étonnant parfois que la vie puisse contenir autant de vide. Ses mains qui autrefois tenaient fermement le volant de sa voiture ou la poignée de sa tondeuse, qui vissaient des objectifs, plaçaient le négatif dans un agrandisseur ou caressaient la tête d'un enfant, ces mains-là pouvaient maintenant passer des jours entiers posées à plat sur ses cuisses, molles, immobiles.

Il y avait plus d'un an que François vivait seul, électron libre éjecté de sa molécule familiale, quand la ville se crispa soudain sous un air glacial, figeant la pluie qui venait de se déposer sur les branches des arbres, les fils électriques et la chaussée en une étincelante couche de glace.

Vêtu de ses trois pulls en laine polaire pour lutter contre l'air froid qui traversait les murs de son appartement mal chauffé, François venait de déchirer un sachet de soupe au poulet et de verser son contenu dans son unique casserole quand il entendit une explosion, suivie d'un crépitement semblable à celui que produit un feu d'artifice. Puis il se trouva plongé dans le noir.

Les bougies? Où étaient passées les bougies? Il cherchait à tâtons, dans l'unique garde-robe, dans les tiroirs de la cuisine, sous le lit, et se heurta contre une boîte en carton oubliée, qu'il n'avait pas encore ouverte depuis son déménagement. Il arracha le ruban adhésif, souleva le couvercle et laissa ses doigts identifier les objets dont il avait très bien pu se passer jusque-là. Une montre de contrefaçon achetée dans Canal Street, à New York, où il était allé avec Françoise pour un long week-end de Pâques. Une pipe qu'il avait reçue en cadeau et dont il ne s'était jamais servi. Une chapka russe, avec des rabats pour les oreilles, qu'il avait achetée sur un pont de la Neva, à Leningrad, où il avait un jour suivi un ancien premier ministre canadien, et qui lui donnait l'air sinistre d'un espion du KGB dans les soirées d'Halloween.

Puis, dans un sac en plastique, un objet de forme rectangulaire, fabriqué d'un plastique mince et pourvu d'un barillet, d'une manette pour rembobiner la pellicule et d'un déclencheur qui fait « clic ».

Il s'approcha de la fenêtre, s'appuya contre son cadre de bois décati, amena l'appareil devant ses yeux, et là, dans le viseur, devant la lumière vacillante des bougies qui éclairaient faiblement le casse-croûte où il prenait parfois son repas du soir, il vit une vieille femme avancer avec précaution, à petits pas, sur le trottoir recouvert de verglas. Elle serrait contre sa poitrine un sac à main qui semblait trop lourd pour elle, et qui peut-être la déstabilisa, l'entraîna vers l'avant, la faisant chanceler sur la glace.

Il y eut un moment où ses mains battirent l'air, comme les bras d'une danseuse, avant de se figer brièvement et de suivre leur propriétaire qui s'étala de tout son long devant la porte du restaurant. François appuya sur le déclencheur juste là, à ce moment précis, lorsque la chute était devenue inévitable, mais n'avait pas encore commencé à transformer la passante en une poupée désarticulée. L'appareil fit « clic », puis François le suspendit à son cou, le temps d'enfiler le manteau accroché à un clou, dans l'entrée, et de dévaler l'escalier pour plonger dans la ville noire.

Pour qui elle se prend

Même sanglée sur sa civière, Mme S. avait une allure de reine, avec sa tête toute droite et ses cheveux bleutés qui émergeaient en une mise en plis presque parfaite de la couverture à carreaux d'Urgences-santé.

Contrairement aux patients qui nous arrivent le corps recroquevillé, comme s'ils étaient aspirés de l'intérieur par leur maladie, Mme S. jetait des regards aigus par-dessus ses lunettes, l'air de s'assurer que les cartes étaient bien distribuées et que la partie de bridge pouvait enfin commencer.

Elle devait avoir pas loin de quatre-vingts ans, mais, au lieu d'égrener son visage en une multitude de miettes, ses rides lui dessinaient un contour volontaire et affirmé, renforçant son expression au lieu de l'affaiblir.

La gadoue accrochée aux roues de la civière suintait sur le plancher de l'hôpital. Mal refermée, la porte de l'urgence laissait un filet de vent humide s'insinuer jusqu'au poste d'accueil où l'infirmière de service jurait entre ses dents.

« Y a-tu quelqu'un qui va refermer cette porte, on gèle, a-t-elle grommelé en remplissant le formulaire d'admission, avant d'ajouter à l'intention de l'ambulancier : Z'auriez dû aller à Notre-Dame, nous, on déborde. »

Il a répliqué qu'avec l'épidémie de grippe le réseau craquait de partout, et que la patiente elle-même avait souhaité être conduite ici, où se trouvait déjà son dossier médical.

« C'est pas à elle de décider », a marmonné l'infirmière en enfilant une veste de laine par-dessus son uniforme. Puis elle a ordonné, impatiente : « Détache-la pas tout de suite, il faut qu'on lui trouve une place.

— J'ai un autre appel, faut qu'on vous la laisse », a plaidé l'ambulancier. C'était Carlos, le rouquin trapu qui s'exprime avec un fort accent espagnol : au lieu de « un » ou « une », il dit invariablement « oune », comme dans « oune appel » ou « oune amboulance ».

Comme moi, Carlos travaille presque toujours la nuit. Il a des jambes fortes, un visage large aux pommettes marquées et à la peau étrangement pâle, avec des yeux bridés sertis de cils blonds. Ses traits ont une inclinaison asiatique, comme ceux d'un Amérindien, mais elle est atténuée par son teint clair et ses cheveux châtains, qui lui donnent un air anglo-saxon ou germanique.

Malgré cette incongruité, ou peut-être justement à cause d'elle, Carlos dégage une impression d'assurance et de calme, comme si, ayant survécu à la contradiction de sa physionomie, il était capable de résister à tout. Pour moi, il est « l'Esquimau blond », et il m'arrive de penser qu'il prend plaisir à déposer des malades à notre hôpital, surtout la nuit, surtout pendant mon quart de travail.

Quelquefois, je le surprends tandis qu'il me cherche des yeux, alors il me sourit avant de replier les draps sur sa civière et de remonter dans son véhicule jaune surmonté d'un gyrophare.

C'est dans l'espoir d'attraper ce sourire que j'ai pris l'habitude de passer près du poste d'accueil le plus souvent possible et de m'y attarder parfois, sous prétexte de feuilleter un dossier, de me laver les mains au savon désinfectant ou de remplir un verre en carton avec de l'eau fraîche, pour un patient.

Cette nuit-là, je venais de fumer une cigarette dans un entrepôt désert près de la buanderie de l'hôpital. Nous sommes quelques-uns à nous rendre en secret dans cette pièce du sous-sol peu fréquentée, ancien laboratoire muni d'un puissant ventilateur qui permet de disperser l'odeur du tabac.

J'ai fait tourner le ventilateur pendant quelques minutes après avoir écrasé ma cigarette dans une feuille d'aluminium et je me suis gargarisée avec le rince-bouche que je garde dans la pharmacie, au-dessus du lavabo. Puis j'ai décidé de passer par la clinique de radiologie, au rez-de-chaussée, ce qui m'obligeait à faire un détour par l'entrée des ambulances avant de rejoindre mon poste de travail.

J'ai immédiatement repéré Carlos, flanqué d'un coéquipier qui fixait le plancher en mâchant de la gomme, l'air indifférent.

« Qu'est-ce tu veux que j'y fasse, je peux pas sortir

un lit de ma poche », a asséné l'infirmière avec le sifflement d'une ogive nucléaire. Je ne la connaissais pas, elle remplaçait Jacqueline, qui avait pris sa retraite la semaine précédente pour travailler dans une clinique chirurgicale privée.

J'ai manœuvré pour me placer dans l'axe du regard de Carlos. Mais il ne s'est pas tourné dans ma direction, tout occupé qu'il était à pousser la civière pour l'éloigner du poste d'accueil et la placer à l'abri du courant d'air, près d'une cabine de toilettes pour femmes.

J'ai jeté un coup d'œil à l'horloge murale : ma pause était terminée depuis cinq bonnes minutes. Je me suis quand même dirigée vers la salle de bain, signalée par une silhouette schématique vêtue d'une robe en forme de triangle.

J'ai vu Carlos frotter l'une contre l'autre ses larges paumes, comme pour éveiller le sang dans ses veines. Puis il s'est penché au-dessus de la vieille qui scannait son nouvel environnement avec un regard pointu.

« Ça va ? Vous n'avez pas trop froid ? » lui a-t-il demandé. Elle a braqué sur lui ses prunelles à peine brouillées par la fièvre : « C'est gentil à vous, non, merci. »

Partout ailleurs, la conversation aurait été banale, prévisible. Mais ici, dans le chaos des urgences, elle m'a semblé déplacée, presque irréelle. Mme S. s'exprimait sur un ton mondain, comme si elle annonçait que tous les invités étaient maintenant arrivés et qu'il était temps de descendre au jardin pour servir le champagne.

Mais le plus étonnant, c'était le vouvoiement. Nous avons l'habitude de nous adresser aux patients à la troisième personne, nous disons : « On a faim ? » « On a envie de pipi ? » ou alors « On n'a plus froid ? » J'ai souvent pensé que ce « on », contrairement à ce que l'on m'a appris à l'école, n'exclut pas la personne qui parle, mais bien celle à qui l'on s'adresse.

C'est une façon de vider notre interlocuteur de sa substance, de lui enlever son passé, sa profession, la place qu'il occupe dans la société, pour le ramener à l'unique raison de son séjour parmi nous : sa maladie. Ainsi, un professeur d'université, un ministre ou une putain toxicomane ne sont plus qu'un ensemble d'organes plus ou moins déglingués, qui se déclinent suivant leur fonction physiologique et leurs défaillances. Pancréas, glycémie, reins, créatinine, poumons, pneumocoques, taux d'oxygène…

N'allez pas croire que je me sente supérieure, que je m'attribue davantage de raffinement social ou de compassion que n'en possèdent mes collègues. Loin de là. Il y a vingt ans que je travaille dans cet hôpital, vingt années de service comme préposée aux bénéficiaires — celle qui lave, torche, apaise, remonte les oreillers, ramasse le magazine tombé par terre, apporte et vide la bassine, charrie les humeurs et les suintements corporels. Des années à désigner les patients par leur numéro de chambre et leur diagnostic. Le diabétique de la 10. Ou encore l'Alzheimer de la 24.

Seulement, ça ne m'empêche pas de voir ce que je vois, ni de penser ce que je pense. Dès que je l'ai aperçue, avec ses lunettes et son cou, périscope dressé au milieu de la houle, j'ai su qu'avec Mme S. toute familiarité serait impossible. De toute évidence, elle manquait de soumission et de passivité, qualités qui font ce que nous appelons « les bons patients ».

Pendant que Carlos et son collègue transféraient la vieille dame sur un matelas de caoutchouc recouvert de plastique, je me suis surprise à penser qu'il valait mieux, pour Mme S., de ne pas tomber sous la garde de Marie-Josée, qui s'occupait cette nuit-là d'une dizaine de patients cordés dans le premier corridor.

*   *   *

Une montagne de besognes m'attendaient lorsque je suis entrée à la hâte dans la salle d'observation de l'urgence. L'homme sous moniteur cardiaque venait de vomir et je devais mettre de nouveaux draps sur sa civière. J'ai appelé le préposé à l'entretien pour faire nettoyer le plancher, mais il n'arrivait pas et j'ai fini par enlever grossièrement les souillures du patient, laissant un halo humide sur le linoléum.

Dans la salle numéro 2, une femme qui avait été retrouvée errant dans le parking de l'hôpital ne cessait de gémir. Elle n'avait rien, pas même un sac à main, aucun papier pour l'identifier, et quand on lui demandait son nom elle répondait : « Marie-Madeleine. »

La tête de son lit avait été relevée, mais elle glissait sans cesse sur le côté, cassant son cou sur le barreau de métal. Quand j'ai tenté de la replacer, elle m'a griffée avec ses ongles trop longs, crasseux, puis elle s'est mise à frapper l'air avec ses bras maigres, déployant une force surprenante. J'ai réussi à la maîtriser, mais il allait sans doute falloir lui administrer un calmant. Je me suis donc dirigée vers le poste pour en glisser un mot à l'infirmière.

En chemin, j'ai longé les lits où des patients demandaient quand, enfin, ils seraient examinés par tel spécialiste, ou si je ne pouvais pas leur apporter un analgésique, ou un somnifère, ou tirer le rideau parce que la femme à côté les empêchait de dormir avec ses gémissements. Ils avaient trop chaud ou trop froid, ils étaient assoiffés ou nauséeux, mais je n'avais aucun remède, aucune réponse précise à apporter à leurs questions pressantes, alors j'ai accéléré le pas en fixant un point devant moi, selon une technique éprouvée qui décourage les tentatives de contact.

Je ne pensais plus à Carlos, ni à Mme S., quand j'ai senti une main agripper mon bras : « S'il vous plaît, madame, veuillez m'aider, je dois avertir mes enfants, pouvez-vous m'indiquer comment téléphoner ? »

Ce ton poli, ces formules surannées, ces intonations un peu ondoyantes : c'était bien elle, allongée sur sa civière dans le couloir principal. Je me suis souvent amusée à identifier l'accent de nos patients — les voyelles mouillées des hispanophones, les « h » gutturaux des Arabes —, mais les sons projetés par la bouche de Mme S. gardaient pour moi tout leur mystère. Ces phrases avaient quelque chose de rond et de chuintant à la fois que je n'arrivais pas à étiqueter.

Il y a plusieurs années, quand les patients de l'urgence avaient commencé à déborder dans les couloirs, il avait bien fallu prendre des moyens pour nous y retrouver. Nous avons donc épinglé au-dessus des civières des carrés en carton portant le chiffre correspondant à leur place dans le corridor. C'était, pensions-nous, une solution temporaire à un problème qui serait bientôt résolu.

Mais les corridors sont plutôt devenus une extension banale de l'urgence, et les numéros des lits ont fini par être gravés sur des plaques métalliques vissées au mur, comme des panneaux indiquant des adresses municipales.

Au corridor 1, numéro 6, Mme S. agitait sa mise en plis en réclamant un téléphone. Je n'avais pas le temps de lui apporter l'appareil sans fil qui était réservé, sauf exception, au personnel. Pas le temps non plus de la conduire près des portes coulissantes qui débouchaient sur la salle d'attente, au bout du couloir, où se trouvait le téléphone mural accessible aux patients.

De toute façon, cet appareil était rarement libre, et la dernière fois que j'y étais passée j'avais vu une jeune femme au ventre rond vissée à l'écouteur. « *No sé, no sé, estamos esperando* », répétait-elle à je ne sais qui au bout du fil.

J'ai donc dit à Mme S. ce que nous disons au moins cent fois par jour : « Je reviens vous voir dans cinq minutes. » Et j'ai entrepris de dénouer les doigts brûlants qu'elle tenait enroulés autour de mon poignet.

Mme S. a pris le temps de me remercier, alors qu'il

n'y avait vraiment pas de quoi, et m'a priée de lui remettre dans ce cas le sac à main qui se trouvait, enfoui parmi ses autres effets personnels, dans le panier sous la civière.

C'était un grand sac de cuir noir à deux compartiments, orné d'un fermoir métallique en forme de S, comme son initiale. Mme S. était déjà branchée sur un soluté, et il a fallu manœuvrer avec finesse pour éviter d'emmêler la sangle de cuir au tuyau de plastique prêt à recevoir sa médication. Quand j'y suis parvenue, elle m'a encore remerciée, et pendant un moment j'ai cru qu'elle me donnerait un pourboire.

Arrivée au poste, j'ai tourné la tête et, de loin, j'ai vu Mme S. tenter de cacher, sous la main droite qu'elle avait posée sur sa bouche, le téléphone cellulaire qu'elle venait de tirer de son sac. J'ai hésité — lui dire qu'il était interdit d'utiliser les cellulaires ? faire comme si je n'avais rien remarqué ? — quand j'ai vu une infirmière bondir dans le corridor pour lui arracher l'appareil des mains. C'était Marie-Josée.

Elle marchait énergiquement, malgré l'heure avancée. Il était maintenant près de six heures du matin ; nous n'allions pas tarder à sentir l'odeur du café filtre et à entendre le cliquetis des plateaux annonçant une nouvelle journée à l'hôpital.

J'ai souri mentalement en imaginant leur conversation : le québécois chaloupé de l'est de Montréal contre le français précis, presque trop raffiné de Mme S. L'assurance intérieure d'une vieille habituée à tenir les commandes de sa vie contre l'autorité professionnelle d'une infirmière qui avait depuis longtemps sacrifié la délicatesse à l'efficacité.

Mais je devais maintenant faire mon rapport sur Marie-Madeleine, puis apporter une bassine au numéro 12, à l'autre bout du corridor. Sous le grésillement des néons, j'ai pris une profonde respiration et j'ai plongé.

*   *   *

« Non mais tu l'as vue, celle-là ? D'abord, elle n'arrête pas de téléphoner, même si c'est interdit. J'ai dû la menacer de lui confisquer son appareil. Mais en plus, elle se plaint du petit-déjeuner. Elle veut quoi, au juste ? Des crêpes Suzette ? Du kir royal ? C'est déjà bien qu'on lui donne à manger, à la sorcière », grommelait Marie-Josée en étendant du beurre d'arachide sur sa biscotte.

Dans le cagibi qui nous servait de cuisine, la cafetière filtre gargouillait encore, et j'attendais qu'elle finisse de régurgiter le liquide chaud qui allait me tenir éveillée jusqu'à la fin de mon quart. Il ne me restait plus que deux heures, mais Marie-Josée venait d'apprendre qu'il lui faudrait filer jusqu'à midi, l'infirmière qui devait la remplacer s'étant fait porter malade quelques minutes plus tôt.

Sa mauvaise humeur était davantage due à sa collègue absente qu'à la patiente du numéro 6, aussi difficile fût-elle. Mais avec ses grands airs et ses caprices, Mme S. constituait un exutoire idéal.

« Et vous savez pas la meilleure ? Ses deux filles

sont là, dans le corridor, avec des chocolats, des oranges et un bouquet de tulipes. Y en a une qui est venue au poste réclamer un vase pour les fleurs, non mais elles se croient où, à la maternité ? » fulminait Marie-Josée.

C'était une de ces femmes sans âge défini, ni jeune ni vieille, avec des cuisses fortes, des mains pataudes et des bras lourds, dotée d'une énergie et d'un jugement qui en faisaient une compagne de travail prisée. Mais j'imaginais mal sa vie à l'extérieur de l'hôpital, et l'idée de l'accompagner au restaurant ou au cinéma un soir de congé me paraissait inconcevable. Elle avait un rire râpeux qui explosait à des moments inattendus et qui prenait sa source dans le découragement, l'épuisement et la frustration. Quelque chose de tendu et profond qui n'avait absolument rien à voir avec la joie.

Elle vivait seule, on ne lui connaissait pas d'amoureux, ni présent ni passé. Pas d'enfant non plus, et, dans sa hargne contre la famille exubérante de Mme S., j'ai cru percevoir l'amertume de sa solitude. Qui donc lui apporterait des tulipes, à elle, le jour où son propre corps ferait naufrage ?

J'ai vidé mon restant de café dans l'évier, j'ai rincé ma tasse et je suis repartie vers mes patients. En passant, j'ai jeté un coup d'œil au numéro 6. Une femme d'âge moyen vêtue d'une robe fleurie qui détonnait sous la lumière blafarde s'approchait du lit de Mme S., avec un tas de couvertures et d'oreillers dans les bras. Elle avait dû les subtiliser dans un de ces chariots que j'allais bientôt pousser pour changer la literie des civières.

Maintenant, elle se penchait au-dessus de Mme S., glissait un deuxième oreiller sous sa tête, un autre sous son dos, et la recouvrait avec les draps élimés, les lissant comme s'ils devaient ainsi la tenir plus au chaud. Puis elle a placé le bouquet de tulipes dans les bras de Mme S., qui le berçait délicatement, tel un nouveau-né. Une autre femme, plus mince et plus agitée, tournait la tête dans toutes les directions en soupirant.

Je me suis approchée, et elle s'est tournée vers moi : « Pas moyen d'avoir un matelas plus confortable ? Ma mère souffre de lombalgie. » Pas de bonjour, s'il vous plaît, merci. Que des exigences sèches enrobées dans un vocabulaire médical. Comme si elle était la cliente d'un hôtel cinq étoiles et moi, une femme de chambre qui s'était trompée d'étage.

J'ai pensé qu'elle aurait pu dire « mal de dos », comme tout le monde, tandis que ma bouche expliquait que c'était hélas le mieux que nous avions à leur offrir.

Elle a soulevé un long manteau de cuir et a enfilé une manche dans un geste théâtral. Elle exhalait l'assurance de Mme S., sans le vernis de la politesse. Je les ai encore entendues parler dans leur langue chuintante, puis éclater de rire. Et ce rire, dans la cour des miracles de l'urgence, était la chose la plus indécente qu'il m'ait été donné d'entendre depuis longtemps.

*   *   *

Le lendemain, j'ai reçu un appel de l'hôpital me demandant d'entrer au travail un peu plus tôt. Une pluie verglaçante s'était déversée sur Montréal durant la nuit, projetant des dizaines de piétons dans des figures acrobatiques sur les trottoirs glacés. Bras cassés, hanches démises, chevilles foulées, l'urgence avait besoin de renfort, et j'avais intérêt à chausser des semelles antidérapantes si je ne voulais pas ajouter mon nom à ceux des patients qui gémissaient déjà dans la salle d'attente.

Je pressais le pas dans le dédale de l'hôpital, mon manteau encore sur le dos, quand j'ai vu l'attroupement autour de la civière de Mme S. Deux adolescentes vêtues comme si elles sortaient tout juste d'un bal, avec des jupes à volants et des cols de dentelle. Puis la femme au manteau de cuir que j'avais déjà vue la veille, leur mère, sans doute. Elle parlait fort, avec des gestes qui semblaient critiquer le contenu du plateau où était posé le souper de Mme S.

Un peu en retrait se tenait un vieil homme avec un chapeau noir à larges bords d'où s'échappaient des cheveux d'un blanc immaculé. Il se dressait, tel un escrimeur, et tout dans sa posture venait contredire les rides qui creusaient sa peau. Il ne lui manquait que des gants blancs et un fleuret… « Tiens donc, le comte de Monte-Cristo », ai-je pensé tandis que M. S. me balayait de son regard condescendant.

Marie-Josée était là, elle aussi, le teint blafard, les yeux doublés de cernes violets. Elle avait dû dormir tout au plus quelques heures dans l'après-midi. Elle écrivait des notes dans un dossier et jetait des regards excédés vers la civière numéro 6.

« Je commence par quoi ? lui ai-je demandé.

— Commence par leur dire que nous ne permettons pas plus d'un visiteur par patient, non mais c'est une urgence, ici ! » Les yeux de Marie-Josée lançaient des éclairs. J'ai attaché mon sarrau, j'ai frotté mes mains avec la solution alcoolisée et je me suis dirigée vers Mme S.

« Ma mère n'a toujours pas eu ses résultats sanguins, pas de diagnostic, pas de chambre, obligée de rester dans le couloir sur un matelas trop dur, elle semble fiévreuse, avez-vous pris sa température, son cœur bat vite, la moindre des choses, c'est qu'elle puisse avoir de la compagnie, a dit sa fille avec un air qui ne souffrait pas la contradiction. D'ailleurs, vous devriez lui donner des yogourts pour éviter l'infection au Clostridium difficile, à son âge, ça pourrait être fatal », a-t-elle mitraillé.

Je lui ai demandé si elle était médecin, elle a dit que non, mais que tout le monde savait que le yogourt permet de reconstituer la flore intestinale, elle ne comprenait pas que l'hôpital n'en donne pas à tous les patients, à tous les repas, mais qu'est-ce qu'on attend alors, de nouvelles épidémies ?

J'étais sur le point d'appeler la sécurité quand Mme S. a fait un geste de la main, sommant sa fille de se calmer. « S'il vous plaît, madame, regardez, il y a ici au moins cinq patients sans visiteurs, mes enfants peuvent se tenir près des autres civières si vous le désirez, c'est si important pour eux de m'accompagner », a-t-elle plaidé.

Sa mise en plis avait perdu de sa rigidité, et ses

yeux s'étaient voilés depuis la veille. Des plaques rouges illuminaient ses pommettes. Une de ses petites-filles lui tenait la main tandis que l'autre découpait un sudoku dans le journal. J'ai dit que j'allais voir ce que je pouvais faire et je suis allée consulter les dossiers des patients.

Marie-Madeleine était toujours là, assommée par les tranquillisants. Un étudiant attendait son tour pour une radiographie du pied, il était tombé en descendant de l'autobus. De l'eau, une aspirine, une bassine, envie de pipi, trop chaud, trop froid, mal à la tête, mal au cœur, quand est-ce qu'il va passer, le docteur? Une nouvelle journée commençait avec sa litanie de plaintes et d'angoisses.

À un moment, j'ai vu le Dr C. s'arrêter près du numéro 6. Habituellement si pressé, il a pris son temps, tout souriant, il semblait engagé dans une conversation de salon. « Elle est hongroise, comme lui », a laissé tomber Marie-Josée, qui avait saisi mon regard. Puis elle a ajouté : « Elle se prend vraiment pour la reine d'Angleterre, celle-là. »

Cela peut paraître étrange, mais j'ai pensé que cette femme malade, octogénaire, condamnée aux nuits sans sommeil d'un corridor d'urgence inspirait en fait de l'envie à ma compagne de travail. Tous ces gens qui veillaient sur elle, même le médecin qui ne se contentait pas de glapir son diagnostic, mais prenait la peine de lui faire la conversation, ces adolescentes qui rivalisaient pour veiller sur leur grand-mère, c'était un concentré d'attention comme Marie-Josée n'en avait peut-être jamais eu.

Je ne connaissais que des bribes de son histoire : une enfance gaspésienne, une famille avec laquelle elle entretenait peu de contacts, une détermination acharnée à garder la tête au-dessus de l'eau. Un jour, j'avais deviné le reste. Nous avions reçu à l'urgence une enfant d'une quinzaine d'années, trop maigre, le corps plein de contusions, les cuisses maculées de sang. Elle était accompagnée de sa mère, dont les talons aiguilles martelaient le plancher de l'urgence qu'elle arpentait en serrant son sac à main contre sa poitrine.

« Comment tu t'appelles ? » lui a chuchoté Marie-Josée avec une tendresse presque maternelle qui ne lui ressemblait pas. Puis, tandis que j'installais l'adolescente frissonnante sur sa civière, l'infirmière m'a repoussée pour se pencher au-dessus de son visage.

Elle a dit : « Tu dois parler », et encore quelque chose qui m'a échappé. Puis elle a caressé les cheveux de la jeune fille avec la paume de sa main. Pendant un instant, elle est restée sans bouger, comme suspendue à un souvenir. Elle s'est ensuite tournée vers moi, et je n'ai pas pu me détourner assez vite pour éviter de voir les larmes dans ses yeux.

J'ai longtemps pensé qu'elle m'en avait voulu d'avoir ainsi, involontairement, frôlé son secret. Chose certaine, là d'où elle venait, rien ne lui avait permis de penser que l'univers lui devait quoi que ce soit. Au contraire, elle avait dû consacrer toute son énergie simplement à survivre. Tandis que Mme S., son mari, ses filles et ses petits-enfants semblaient pénétrés du sentiment de leur importance. Ils étaient convaincus que leur moindre maladie, leur plus petit inconfort constituait un affront à la loi naturelle de l'univers.

Ils exigeaient qu'on y remédie dans les plus brefs délais pour restaurer l'ordre des choses, qui consistait, pour Mme S., à s'étendre sur un matelas confortable, recouverte d'un édredon moelleux, avec une mise en plis parfaite, des fleurs et un journal, entourée des siens.

*   *   *

Cette nuit-là, je n'ai pas eu le temps de penser à Carlos, encore moins d'aller fumer sous les pales du gros ventilateur. Je n'ai même pas pu regarder l'heure tant nous étions occupés à endiguer le flot d'os cassés, charrier les civières vers le service de radiologie, les ramener vers le corridor de l'urgence, distribuer des analgésiques, panser les plaies, soulager les corps des patients immobilisés par la douleur.

Car même avec des jambes et des bras fracassés, l'organisme poursuit son lent travail de transformation de la matière, et il m'appartenait, à moi, de m'assurer que cela se faisait sans trop de dégâts, que les corps qui gisaient dans le corridor étaient remplis et vidés au moment opportun.

Je suis passée quelques fois devant la civière de Mme S., dont la prétention et la grandeur m'ont soudainement paru ridicules. Quand j'ai enfin pu retirer mon sarrau, remettre mes vêtements civils et prendre le bus pour rentrer chez moi, tout mon corps me faisait mal, et ma tête n'était plus qu'un trou noir et vide.

*　*　*

Le lendemain, l'hôpital ressemblait à l'idée que je me fais d'un champ de bataille après la défaite. Des corps gisaient un peu partout dans un silence encore lourd des clameurs de la guerre. Moi-même j'étais fourbue, les poignets en feu, les articulations douloureuses.

Je suis arrivée quelques heures avant le début de mon quart habituel, vers vingt heures, et machinalement j'ai jeté un coup d'œil vers le numéro 6. L'endroit était vide. Mme S. avait-elle réussi à se faire transférer dans une chambre ? Suivant mon regard, Marie-Josée, qui venait d'arriver elle aussi, m'a informée que la patiente avait été tout simplement repoussée au bout du couloir.

« Elle observait le poste, je crois même qu'elle prenait des notes, une espionne, je te dis », a accusé ma collègue, et j'ai compris que la fatigue et la lassitude n'avaient en rien atténué l'antipathie que lui inspirait notre reine hongroise.

La fille de Mme S. se tenait toujours à son poste, au chevet de sa mère, dont les cheveux étaient maintenant affaissés autour d'un visage défait. En moins de vingt-quatre heures, elle s'était transformée en une vieillarde. Je n'avais rien à faire à l'extrémité du corridor, mais je me suis approchée quand même, pour les saluer.

« Ma mère ne s'est pas lavée depuis trois jours, est-ce que quelqu'un pourrait l'aider à prendre sa douche ? » m'a demandé la fille sur un ton sec où pointait un sentiment d'impuissance.

J'ai eu envie de lui répondre que nous n'étions pas dans un spa, non mais, un petit massage avec ça? Mais le regard creux de Mme S. exprimait maintenant une telle détresse que j'ai soupiré. « Désolée, vous avez vu ce qui se passe? C'est impossible. »

Puis, sans réfléchir, j'ai lancé une question qui visait, sans que j'en aie été vraiment consciente, à humilier la fille de Mme S., à lui donner l'impression que, pour passer autant de temps au chevet de sa mère, elle devait souffrir d'une carence émotive.

« Arrêtez donc de vous inquiéter tant pour votre mère, est-ce que vous vivez avec elle? » lui ai-je demandé. C'était l'une des questions les plus idiotes que j'aie posées depuis longtemps.

J'ai vu s'allumer une petite flamme ironique dans les yeux fatigués de Mme S. Sa fille m'a toisée du haut de ses cinq pieds dix pouces en m'assénant : « Et vous, si votre mère de quatre-vingt-deux ans avait passé trois jours dans un corridor d'urgence, vous ne seriez pas un peu inquiète, non mais franchement. »

Elle avait donc quatre-vingt-deux ans. Et sa fille avait raison, bien sûr. Je suis repartie en promettant de les aider.

« Qu'est-ce qu'elle veut encore, l'impératrice de Budapest? » m'a demandé Marie-Josée, qui m'avait vue m'approcher de Mme S. Puis : « Je vais lui en faire une, douche, et froide en plus. »

Dans le dossier, j'ai vu que Mme S. souffrait d'un début de septicémie, qu'on lui administrait des anti-biotiques intraveineux et que son organisme, même s'il était affaibli par l'attaque bactérienne, réagissait bien au traitement. Une note du médecin réclamait un transfert immédiat vers une chambre en infectiologie, mais il n'y en avait aucune de libre.

La fille et le mari de Mme S. arpentaient maintenant le corridor, l'air fâché. Ils examinaient les planchers et les murs tels de riches propriétaires de retour de vacances qui inspectent la maison à la recherche d'un coin de poussière oublié par la femme de ménage. Leur attitude était vraiment détestable, mais dans l'état où elle se trouvait, Mme S. n'y était pour rien.

Plus tard dans la nuit, une fois ses visiteurs partis, je suis allée prendre ses signes vitaux. Sa pression était très faible, et elle m'a demandé un somnifère. Elle ne parvenait pas à fermer l'œil à cause de tout le va-et-vient de l'hôpital.

Comme pour justifier sa plainte, la porte à deux battants s'est ouverte d'un coup derrière elle, et j'ai vu Carlos apparaître derrière une civière qui a glissé dans le corridor, avec un filet d'air glacial. « Salout », a dit Carlos, et pendant une fraction de seconde tout s'est arrêté autour de nous.

Ce sourire-là était différent des autres, plus appuyé, délibéré. Je l'ai savouré pendant un moment, ou pendant une éternité. À cette époque il y avait si longtemps que je n'avais pas dormi avec un homme que parfois, la nuit, je me serrais toute seule dans mes bras. Juste pour me rappeler.

Puis la valse de l'urgence a repris : bassines, couvertures, corps à retourner et à replacer, à soulever, à retenir, baisser le lit, monter l'oreiller, couvertures, draps propres, draps souillés.

À un moment, je me suis tournée vers le numéro 18, là où logeait maintenant Mme S. Marie-Josée était penchée au-dessus de la civière, elle vérifiait quelque chose, de loin je ne voyais pas très bien. Mais il m'a semblé que, en replaçant la barrière qui empêche les patients de tomber, elle n'a pas terminé son mouvement. Qu'elle ne s'est pas rendue jusqu'au déclic qui assure que le mécanisme est enclenché, que les barreaux de métal sont bel et bien fixés et immobilisés. Il manquait le petit mouvement du poignet, la brève ondulation de la hanche qui, habituellement, achève ce geste.

Puis j'ai navigué au milieu des plaintes et des gémissements, en me dirigeant vers l'extrémité du corridor, avec l'intention de vérifier l'installation de Mme S. Mais il y avait tant à faire en chemin : me pencher, me relever, attacher, détacher.

Et puis, au-delà des portes à doubles battants qui claquaient derrière la civière de Mme S., j'ai entendu la voix de Carlos. Peut-être cette fois allait-il faire un geste de plus ? Peut-être allait-il m'inviter à le rencontrer un de nos jours de congé ? J'avais complètement oublié Mme S. quand j'ai entendu le bruit sourd d'un corps s'écrasant sur le plancher.

« Numéro 18 est tombée », a crié un préposé. Il y a eu d'autres cris, des appels de médecins, j'ai couru moi aussi, et avec l'aide d'un infirmier j'ai soulevé le corps inerte de Mme S. Elle avait les yeux fermés et un filet de sang à la commissure des lèvres.

Dans sa débâcle, Mme S. s'est cassé une hanche et, comme c'est souvent le cas chez les vieux, cette fracture a été une fracture de trop. Elle a été transférée à l'unité des soins intensifs, où elle a contracté une pneumonie qui a eu raison d'elle en une semaine.

Quand j'ai su que la famille avait intenté un procès à l'hôpital, j'ai pensé témoigner de ce que j'avais observé. Mais à quoi bon ? J'imaginais déjà le regard accusateur des filles de la vieille dame, leur satisfaction devant la confirmation d'une faute.

Pour qui se prenaient-elles, ces deux-là ? Elles n'étaient pas les premières à voir mourir leur mère. Ma propre mère, deux ans plus tôt, un cancer fulgurant… Et je n'ai jamais osé rien exiger pour elle, rien.

Et puis, Marie-Josée était une collègue très efficace, dure à la tâche, increvable. Qu'est-ce qu'elles savent, elles, de nos nuits sans dormir, à soigner les malades et les fous ?

Alors, je n'ai rien dit. La famille a fini par retirer sa plainte. Et un matin, tandis que je versais du lait froid dans mon bol de céréales, morte de fatigue, mais incapable de dormir, le téléphone a sonné et la voix de Carlos a dit : « Salout ! »

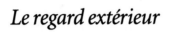

Le regard extérieur

Il n'y avait plus rien à dire. Pourtant, Marie luttait toujours contre une irrépressible envie de parler, des mots lui brûlaient la langue, se cognaient contre son palais, mais à quoi bon ? Cette conversation avait déjà eu lieu, un million de fois elle lui avait posé les mêmes questions et un million de fois il lui avait fait les mêmes réponses, toujours insatisfaisantes.

L'idée même de vouloir comprendre lui sembla tout à coup superflue. Comprendre ? Mais qu'est-ce qu'on peut bien comprendre ? Pourquoi chercher des explications ? Toutes les combinaisons phonétiques et émotives avaient déjà été explorées, Marie savait bien quelle phrase allait lui faire froncer les sourcils, le refouler dans ses derniers retranchements, le faire mentir, ou sourire tristement. Et alors elle aurait la larme à l'œil, et ça, elle ne le voulait pas.

Non, la vie est comme ça : des gens nous percutent, nous emportent pour quelque temps, puis ils s'en vont, la vérité, le mensonge, les explications, que d'efforts pathétiques nous déployons pour essayer de saisir, de capturer, d'emprisonner, quand tout ne fait que passer.

La nuit était chaude, un couple longea la terrasse en riant, la fille ondulait sous une jupe microscopique, son compagnon poussait un vélo, ils ne devaient pas avoir plus de vingt-cinq ans. Je n'aurai plus jamais vingt-cinq ans, pensa Marie, et elle se revit sur cette même terrasse, trois ans plus tôt, David portait un t-shirt blanc trop étroit et une queue de cheval, elle lui traduisait le menu. Moules poulette, une poulette c'est une petite poule, la poule c'est la femme du coq, *chicken's wife*, pourquoi ça s'appelle comme ça, je sais pas, mais c'est bon, *it's good*. Et toi c'est ma femme, ma poulette, et c'est bon, il avait dit en lui caressant le genou.

Le nœud dans sa gorge, encore. Marie se ressaisit, fixa le menu, passa outre aux moules poulette sans broncher et opta pour un steak tartare, elle qui n'avait jamais aimé les choses crues.

Cette nouveauté n'échappa pas à David : « Tiens donc, tu aimes le tartare, maintenant ? » Il parlait un français précis, prenait soin d'employer le terme exact, seuls son accent un peu rocailleux, sa manière de s'appesantir sur certains mots, comme s'ils étaient encore tout neufs pour lui et qu'il ne faisait que les étrenner, permettaient de deviner qu'il venait d'ailleurs, qu'il avait dû faire un effort pour apprendre cette langue qu'il maniait maintenant avec fluidité.

Trois années à peine lui avaient suffi, s'étonna Marie. Trois ans.

Puis elle entendit une phrase se former dans sa tête, légère, dégagée, bien oui, j'ai surmonté mon dégoût, en fait ça dépend des assaisonnements, tu sais, j'ai même appris à aimer les sushis, qu'est-ce que tu veux, je sors beaucoup ces jours-ci, je ne sais plus où donner de la tête.

Dire tout ça avec un air plein de sous-entendus, mais oui, pauvre idiot, je n'ai pas arrêté de vivre, il y en a des tas d'autres qui me font découvrir des plaisirs nouveaux, ha.

Pas capable. Marie n'était pas capable de jouer cette insouciance et elle ne répondit rien. David commanda des moules au curry et un muscadet, le vin aussi, il le tenait d'elle, avant c'était la bière ou le whisky, mais elle préféra ne pas y penser.

Il alluma une cigarette et lui en offrit une. Merci. Le vent coucha la flamme du briquet, donne, je vais le faire toute seule. Elle aspira la fumée et fixa la nappe où des doigts longs, un peu jaunis par la fumée, des doigts interminables, forts et gracieux, ses doigts à lui, qui l'avaient touchée, caressée, viens, je vais te gratter le dos, ces doigts-là, désormais indifférents et étrangers, entortillaient avec nervosité le napperon de coton blanc.

Une famille de Juifs hassidiques traversa la rue, un petit garçon avec des cheveux en boudins poussait sa trottinette, derrière lui des jumeaux dans un landau, puis une matrone essoufflée, bouilloire enceinte sous une robe informe, la vie est-elle plus simple pour eux? se demanda Marie. Est-ce qu'ils sont heureux, est-ce qu'un jour j'aurai des enfants?

Ne pas pleurer, se dit-elle en fixant ces doigts qu'elle connaissait si bien, qui la connaissaient aussi bien en retour — la texture de ma peau est-elle inscrite dans leur mémoire ? pour toujours ? ou est-elle évanouie, envolée, anéantie ? —, ses doigts à lui qui maintenant tambourinaient sur la table, tadamtadam. Ne pas pleurer.

Le garçon revint avec du pain et de l'eau. Il commenta le temps, si moite, si humide, on se croirait au Mexique, pourtant nous ne sommes qu'au début juin. David fit quelques remarques pertinentes, en roulant ses « r » un peu rauques, si sensuels, merde, il faut que j'arrête, se dit Marie.

Autrefois, David n'arrivait pas à comprendre pourquoi tant de conversations, ici, portaient sur le temps — celui qu'il a fait, celui qu'il fera, quel intérêt de commenter l'évidence, les gens n'ont-ils vraiment rien d'autre à dire ? C'est drôle, pensa Marie, l'aisance et la passion avec lesquelles il participe maintenant à ces échanges climatiques. Trois ans.

Ils ne s'étaient pas vus depuis deux mois. C'est lui qui l'avait rappelée, je pense à toi, j'aimerais t'inviter pour ton anniversaire. Elle allait répondre non, mais elle avait dit oui, merci, comme c'est gentil. Là, il était assis devant elle, l'air de rien, et Marie se disait qu'elle s'était piégée elle-même, comme toujours, puisque maintenant elle devait se montrer joyeuse et reconnaissante, légère, contente, mais pas trop — et qu'elle n'y arrivait pas.

« Je m'ennuie de toi, dit David.

— Moi aussi », s'entendit répondre Marie. Elle leva la tête et lui sourit. Pourquoi faisait-elle ça ?

« Tes cheveux, tu as une jolie coupe. Les reflets roux, ça te va bien.

— Ah oui, c'est pour cacher les cheveux blancs. » Marie détestait chaque mot qui sortait de sa bouche. Tout sonnait faux, emprunté. Elle revit David de dos enlaçant une grande blonde, David qui rentre à six heures du matin, qui parle au téléphone dans une langue qu'elle ne comprend pas, mais elle n'aime pas son intonation, même si en même temps il lui passe la main dans les cheveux. David qui fuit son regard, qui s'abat sur le lit de tout le poids de ses quatre-vingts kilos, avec cette odeur suave et inconnue qui s'accroche à sa nuque.

La boule lui serra la gorge, encore une fois, puis le plat de moules atterrit sur la table, exhalant des vapeurs de cumin et de coriandre. « Miam, ça sent bon », dit David, et elle se sentit reconnaissante pour cette diversion. Vite, un sujet de conversation.

« L'autre jour, j'ai poussé jusqu'au bout de l'île en vélo, jusqu'à Dorval, plus loin même, Sainte-Anne-de-Bellevue, raconta Marie. J'ai apporté un livre et un pique-nique, c'était magnifique, l'eau scintillait, on se serait cru au bord de la mer. »

Elle disait vraiment n'importe quoi. À sa grande surprise, David connaissait l'endroit. « J'y suis allé l'autre nuit, en auto, avec des amis, on avait un peu bu, on a fini le whisky au bord de l'eau. Les avions passent très bas, là-bas. Puis il y a un bar, j'ai oublié le nom… »

Marie était la première personne que David avait rencontrée en arrivant à Montréal. La première autochtone qui n'avait pas une autre vie derrière elle, pour qui habiter à Montréal ne représentait rien de particulier, une réalité qu'elle n'avait pas choisie, un cadeau reçu à la naissance, avec des pyjamas de toutes les couleurs, une layette et des ours en peluche.

C'était quelques jours avant Noël, et David buvait un café chez Harvey's, rue Sainte-Catherine, en fixant la rue, les gens, comme s'il voulait les photographier du regard. Comme s'il voulait se convaincre que c'était bien lui, David, qui se trouvait là, au cœur de l'Amérique, dans ce monde libre dont il rêvait depuis toujours. Depuis qu'il avait réalisé que l'univers ne se limite pas aux drapeaux rouges que l'on brandit pendant le défilé du 1er mai, en chantant *L'Internationale*.

Marie pestait contre le trafic, il lui restait peu de temps et elle avait encore tous ces cadeaux à acheter. Elle eut de la chance: une place de stationnement se libéra à un coin de rue du magasin où elle espérait acheter quelques disques. Et tout juste devant le restaurant où David étirait un café filtre, en mâchouillant son verre en carton.

Elle fouilla dans son portefeuille, puis dans ses poches: elle n'avait pas assez de pièces pour payer le parcomètre. Elle entra dans le restaurant et vit ce grand brun avec son expression absorbée. Elle lui tendit un billet de deux dollars: « Vous n'auriez pas de la monnaie? »

Il lui répondit dans un anglais hachuré: « *It's my last quarrter, take it, merry Chrristmas.* » Elle insista pour qu'il prenne le billet, il refusa, non, non, au point où il en était rendu, ça ne changeait plus rien pour lui. Elle s'inquiéta : d'où venait-il, avait-il une maison, un endroit où il pouvait dormir, au chaud ? Il répondit à sa manière habituelle, qui le faisait paraître tellement courageux, mais laissait subtilement toute la place à la compassion.

Marie sauta à pieds joints dans cette ouverture. Elle lui proposa un autre café : pas ici, un vrai café, un espresso, viens donc, ça me fait plaisir. C'est Noël, après tout.

Elle avait été étonnée par sa propre audace. Et il n'avait hésité que pour la forme. David savait recevoir avec beaucoup de grâce, tout comme il savait demander sans qu'on le remarque, en laissant aux autres l'impression d'avoir pris l'initiative de lui rendre service. C'était même un de ses plus grands dons, mais ça, Marie mettrait un peu de temps à le découvrir.

Cette première rencontre avait donné le ton aux suivantes. Elle lui apprenait Montréal, elle trouvait même une certaine fierté au fait de lui avoir tout montré : la ville, les restaurants branchés, le village gai, les meilleurs endroits où garer l'auto au centre-ville, les meilleures boîtes de blues. Elle lui racontait la petite histoire d'un bar ou d'un quartier, lui faisait écouter Richard Desjardins, l'initiait à la cuisine indienne ou au patin à roues alignées, l'entraînait au marché Jean-Talon ou à la piscine de la Cité — on y nage dehors même en plein hiver, tu sais.

Il rêvait de voir un bar avec des lumières rouges tamisées, pour lui, c'était ça, le *nightlife* en Amérique, où est-ce qu'il avait pêché ce cliché? Mais Marie chercha longtemps le bar rouge, comme elle chercha le manteau avec lequel il pourrait affronter Montréal en hiver. Ou encore l'auto — monumentale, automatique, américaine — dans laquelle il se sentirait définitivement vainqueur du destin qui l'avait planté, lui, David, du mauvais côté du rideau de fer, là-bas, à l'Est, sous un ciel beaucoup trop bas pour lui.

Ensemble, ils quadrillaient la ville dans tous les sens; il lisait les livres qu'elle lui glissait entre les mains, découvrait des plats exotiques et des films dont il n'avait jamais entendu parler. En échange, il n'avait à lui offrir que sa présence et son intensité. Marie estimait que c'était beaucoup et n'en demandait pas plus. Elle ne tenait pas à ce qu'il entre officiellement dans sa vie, qu'il l'accompagne chez les amis ou les parents. Non, ils avaient cet espace à eux, en privé, et longtemps cela leur parut suffisant.

Mais quelques mois après leur rencontre, le mur qui avait longtemps coupé le monde en deux s'écroula. Et David eut l'air absurde avec sa fuite vers l'Occident. Quand il l'avait quitté, son pays était une prison et son départ, un geste héroïque. Du jour au lendemain, la prison est devenue le lieu de toutes les possibilités. Acheter. Vendre. Acheter et vendre encore.

Le monde libre, lui, n'était pas non plus comme il l'avait imaginé. Chômage. Récession. Bureaucratie. Et surtout, toutes ces règles qu'il ne devait pas transgresser et qui fermaient son horizon, comme autant de nouveaux barreaux.

Peu à peu, David comprit que la liberté avait changé de camp et qu'il avait choisi le pire moment pour partir. Que son avenir était resté là-bas, dans ce monde déréglé offert au plus concupiscent.

Sauf qu'il ne pouvait pas retourner d'où il était venu, comme ça, comme un perdant. Alors, il accumulait les boulots de misère, tentait d'investir ici et là, imaginait le coup fumant qui lui donnerait tout ce dont il rêvait : une ou deux maisons, une ou deux autos, peut-être même une jeep Cherokee. Il en était venu, honte suprême, à emprunter de l'argent — des dollars ! — à son frère resté là-bas. Son frère qui, grâce à deux ou trois combines, était devenu propriétaire d'un petit hôtel, qui lui envoyait des photos de vacances où on le voyait invariablement debout sur une plage, sur fond de mer bleue, une grosse bague étincelant au soleil.

Rien ne marchait comme il l'avait espéré. Alors, David devint amer. Où était passé le héros qui avait rompu les amarres pour partir à la conquête d'un nouveau continent ? Disparu, évaporé. Il se sentait floué : ce pays, le Canada, refusait obstinément de correspondre à l'image qu'il en avait, avant. Il était tout sauf un territoire en friche ouvert à tous les succès. David en voulait à ce pays honni, l'Union soviétique, d'avoir tout laissé s'écrouler juste à ce moment précis. De son point de vue, il aurait mieux valu que la guerre froide dure encore un peu. Qu'il puisse rester celui qui est passé à l'Ouest pendant une année, ou deux. Manifestement, ses besoins personnels n'avaient pas été pris en considération.

Il osait à peine se l'avouer, mais au fond de lui une petite voix disait : tu t'es fait avoir, tu n'aurais jamais dû partir. Ce n'était plus le moment. C'était trop tard. Cette voix, il devait la faire taire. À tout prix.

Et pour ça, il y avait les filles. Blondes, brunes, grandes, petites : leurs yeux lui renvoyaient l'image admirable qu'il cherchait en vain dans son miroir. Les filles qui l'attachaient encore ici, dans ce pays trop lisse, lui qui se sentait propulsé une fois de plus, aller ailleurs, n'importe où, tout recommencer.

Sauf qu'à partir de là, pour Marie, l'équation ne tenait plus. Elle voulait bien jouer le rôle de guide, pas le partager à plusieurs. « Pourquoi tu fais ça ? » lui criait-elle. « Mais je ne fais rien, ce n'est pas ce que tu penses », répondait-il, l'air excédé.

Elle le quitta. Puis se laissa reconquérir. Puis le quitta de nouveau. Il trouvait toujours un prétexte pour la rappeler. Comme cet anniversaire.

Marie vida son verre de muscadet et commanda une autre bouteille. La rue tournait, maintenant. Jamais, avec elle, David n'était allé à Sainte-Anne-de-Bellevue. Ce qu'il lui disait prouvait bel et bien qu'il existait désormais en dehors d'elle, qu'il s'était fixé sur une autre orbite.

Dans la tête de Marie, l'image devint obsédante : David à Sainte-Anne-de-Bellevue avec la grande blonde. Il ne la touche pas, c'est pire, il rit avec elle. Le garçon interrompit ces pensées en déposant sur la table une boule de viande crue. Frites, mayonnaise, merci, c'est parfait, un peu de poivre, d'accord. Le steak tartare formait un monticule écœurant dans son assiette. Marie se sentait incapable d'avaler une seule bouchée. « Comment va ta mère ? » demanda David.

Ma mère ? Qu'est-ce qu'il veut à ma mère ? Mais elle se fiche de toi, ma mère, comme tu te fiches d'elle, comme tu te fiches du monde entier. Le fleuve, la grande blonde, le whisky, la nuit : Marie se mit à pleurer comme si elle n'allait plus jamais pouvoir s'arrêter.

Un torrent s'arracha à ses yeux, doucha ses joues, son menton, il dévala jusqu'à la table, une traînée de mascara se mêla à un filet de morve, Marie essuya ses yeux, se moucha dans une serviette de table, rien à faire, le barrage avait cédé.

« Mange », lui ordonna David. Marie sentit qu'elle lui faisait honte et elle se crispa de nouveau, une nouvelle contraction lui barra le ventre, tous les liquides de son corps se précipitaient maintenant vers deux minuscules orifices d'où ils allaient jaillir sur la nappe blanche et la viande saignante.

À quelques tables de là, Marie remarqua Yves, un copain du bureau. Pourvu qu'il ne la reconnaisse pas. Le garçon lança un regard en sa direction. Les doigts de David firent « tadamtadam » sur la table. Maintenant, tout le restaurant la regardait. Elle sanglota de plus belle.

« Allons nous promener », suggéra David. Elle ne le vit pas payer l'addition. Où l'emmenait-il ? Pourquoi ? Marie n'était plus douée de volonté propre, elle était emportée par le courant de ses larmes, serrée par le bras musclé et autoritaire de David.

Plus tard, quand elle tenterait de se rappeler cette soirée, elle n'arriverait pas à reconstituer le moment où elle était montée dans son auto immense — celle qu'elle lui avait dénichée, l'année précédente, grâce à une petite annonce. C'est comme s'il y avait eu un trou noir entre le moment où elle s'était liquéfiée en public dans un restaurant chic d'Outremont et celui où elle s'affala sur le siège du passager, en pleurant encore, mais en silence maintenant.

L'auto fendit la montagne, suivant la voie Camillien-Houde, qui laissait apparaître à tribord un fleuve scintillant : la ville, la nuit.

Ils se garèrent dans le stationnement et s'avancèrent sur le chemin de gravier qui mène jusqu'au Chalet du mont Royal. La nuit était collante, l'air était imprégné de cette humidité à laquelle on ne peut pas échapper, qui vous rattrape même sous les climatiseurs, ramollissant tout sur son passage : les muscles, le cerveau, la volonté. Les lumières de la ville créaient un halo dans le ciel, des grillons stridulaient dans le sous-bois.

Marie ne pleurait plus, elle ne parlait pas, elle marchait appuyée sur le corps de David qui la tenait contre lui, sans rien dire lui non plus. Maintenant, les doigts interminables caressaient le sein droit de Marie. Un vieil homme les dépassa en joggant. Ils croisèrent une poignée d'adolescents aux jeans trop amples, qui se passaient une grosse bière et déblatéraient contre un monstrueux prof de maths. Les doigts de David appliquèrent une pression plus ferme.

Marie ne disait toujours rien, mais ses jambes faiblirent. « Viens par ici », dit David en l'entraînant hors du chemin. Il écarta des branches devant eux, puis d'autres branches, maintenant ils étaient seuls au monde, la montagne, la ville, la grande blonde, les moules poulette et le steak tartare, tout avait disparu, il n'y avait plus qu'eux, qui n'avaient plus rien à se dire et qui s'embrassaient sans fin.

David souleva sa jupe, Marie retrouvait les gestes familiers, lui mordit les lèvres, poussa sa main sous sa chemise. Ils étaient couchés, maintenant, des branches dansaient et craquaient autour d'eux et ils se retrouvaient l'un avec l'autre, comme avant. Marie ferma les yeux, laissa tomber ses chaussures et serra très fort le corps de David. Elle se sentait vivante de nouveau, les grillons, le sol qui pique, la brume gluante, tout s'effaça. Comment avait-elle pu pleurer alors que ce bonheur était encore possible ?

Un chuintement de pas dans les buissons, un souffle saccadé, des jets lumineux braqués sur leurs deux corps emmêlés. « Continuez, on veut juste regarder », chuchota une voix. Marie s'assit et vit des ombres glisser entre les arbres. Des hommes avec des lampes de poche, qui les regardaient, qui leur demandaient de poursuivre le spectacle.

« Foutez le camp, bordel ! » cria David. « O.K., O.K., énervez-vous pas. » Les ombres disparurent dans l'obscurité. David se redressa, brandit le poing, rit nerveusement. « Allez, viens, on s'en va, *let's go* », dit-il en prenant la main de Marie. Elle la retira.

Puis il mit la main dans sa poche et paniqua : où était donc passé son portefeuille ? Il se mit à le chercher à quatre pattes, entre les arbustes, en jurant entre ses dents.

Un homme échevelé qui cherche son portefeuille, à genoux au milieu des buissons où il vient de se faire prendre par un groupe de voyeurs : quelle scène pathétique, pensa Marie. Nous deux, ce n'était donc que ça ? cette séance triviale ? Elle se revit en train de pleurer toutes les larmes de son corps au-dessus des plats de moules poulette et de steak tartare. Tout ça pour ça ?

C'est elle qui aperçut le portefeuille en se penchant pour remettre ses chaussures. Elle le lui tendit. « Tiens. » Il marmonna merci, replaça ses cheveux, essaya de se donner une prestance. Mais quelque chose de lui s'était égaré dans les buissons.

Marie le regarda en souriant. Elle se sentait étrangement libérée. « Franchement, il n'y a pas de quoi rire, s'impatienta David.

— Je sais, excuse-moi », répondit Marie, tout en réprimant un gloussement.

« Tu viens ? » demanda David.

Mais c'était comme si, à la lueur des lampes de poche, l'homme auquel elle ne savait pas résister avait perdu tout son pouvoir. Comme s'il avait disparu. Ne restait plus que la silhouette d'un étranger.

Partir, tout de suite.

« Alors, tu viens ? répéta David.

— Non », répondit Marie, et elle se mit à courir. Elle louvoya entre les autos du stationnement, jusqu'à la rue, vite un taxi, avant qu'il ne me rattrape, taxi, taxi !

Elle se propulsa à l'intérieur d'une Volvo déglinguée, dit son adresse, prenez par l'avenue du Parc vers le sud, puis par l'avenue des Pins, vers l'ouest, seulement quelques rues, tournez à gauche, là.

« Belle soirée, n'est-ce pas ? commenta le chauffeur.

— Belle soirée, opina Marie.

— C'est tôt pour une telle chaleur. L'an dernier, à pareille date, il y avait encore des restants de neige dans ma cour, des amoncellements noircis, minuscules, mais quand même, monologua l'homme en doublant un autobus sur la droite.

— Attention ! » cria Marie. Mais il était totalement absorbé par ses réminiscences météorologiques. « Vous vous rappelez le temps qu'il faisait, l'an dernier ? demanda-t-il.

— Me rappeler quoi ? Mais j'ai tout oublié », dit Marie. Et finalement, elle se mit à rire. Un rire immense, bruyant, qui montait du bout des jambes et, telle une charrue, ramassait tout sur son passage.

« Excusez-moi, hoqueta-t-elle, mais, vraiment, j'ai tout oublié. »

Mon premier collier de perles

C'était une boîte carrée, enveloppée dans du papier de soie rouge ceinturé d'un ruban doré. En ouvrant les paupières, j'aperçus d'abord un scintillement informe sous mes yeux. Puis je distinguai les lignes droites, la boucle aux extrémités effilochées à l'aide de ciseaux, comme j'avais appris à le faire au magasin de cadeaux où j'avais eu mon premier emploi, l'hiver précédent.

Au bout de la boîte, il y avait la main de maman, reconnaissable à ses ongles rongés où s'écaillait un restant de vernis rose. En remontant un peu les yeux, je vis sa chemise de nuit en flanelle, avec ses manches trop longues maculées de quelques taches de confiture.

Même là, même pour mon anniversaire, maman ne pouvait donc pas porter autre chose que cette vieille tente informe et sale ? Je refermai les yeux dans l'espoir d'échapper aux bons sentiments qu'elle n'allait pas tarder à déverser sur moi, après m'avoir tirée du sommeil à une heure indécente sous prétexte que ce jour-là était celui de mon anniversaire.

« Bonne fête, Fanny chérie, ça fait seize ans aujourd'hui », chuchota maman. Elle avait pris la peine de mettre du rouge à lèvres, et ce maquillage jurait avec sa tenue de nuit. Un peu de ce rouge avait d'ailleurs coulé dans les sillons verticaux qui se dressaient au-dessus de sa bouche. Je ne les avais encore jamais remarqués avec une telle précision.

Je clignai des yeux, dans l'espoir de réapparaître ailleurs, sur une île déserte de préférence. Pendant une fraction de seconde, à cause de son rouge à lèvres, j'eus l'impression que maman avait mis un masque de clown, mais c'était bien son visage, c'était bien elle — Hélène, ma mère —, telle que je la voyais tous les jours, matin et soir, depuis que je me rappelais.

Il n'y avait rien à faire, je n'allais pas pouvoir échapper à ce matin d'anniversaire. Je me soulevai dans mon lit, me forçai à sourire, puis je coinçai le ruban de l'emballage entre mes dents, pour le dénouer.

La boîte était trop petite pour pouvoir contenir les CD de mes groupes favoris, dont j'avais pourtant scotché la liste exhaustive sur la porte du congélateur. Manifestement, maman avait choisi de ne pas en tenir compte.

À moins qu'elle n'eût choisi de m'offrir des bons d'achat chez un disquaire? Mais non : sous le couvercle du boîtier gisait un rang de perles blanches, retenu par des épingles sur un lit de velours noir. Des boucles d'oreilles assorties étaient piquées de chaque côté du collier. On aurait dit les yeux exorbités d'un insecte albinos.

« Tu es une femme, maintenant, voici ton premier cadeau de femme », dit maman en appuyant sur chaque mot, avec gravité. Je me frottai les paupières, je la regardai, je fixai le contenu de la boîte, mais le collier était toujours là, il refusait obstinément de se transformer en un disque de Madonna.

Je m'impatientai : pourquoi donc avait-elle choisi de me surprendre avec ce collier de vieille, ce bijou austère et ennuyeux, au lieu de suivre mes recommandations ? Mais maman me souriait avec intensité, et son amour fondait sur moi comme le rouge à lèvres qui continuait à fuir au-dessus de sa bouche.

Elle avait l'air tellement satisfaite de sa surprise que je finis par trouver la force de feindre le ravissement. « Merci, merci, maman », j'enfouis la tête dans son cou et m'imbibai de l'odeur suave de son parfum.

Puis, dans un geste familier, comme quand j'étais petite et qu'elle s'étendait à mes côtés pour me raconter une histoire, elle souleva un coin de mon édredon, se glissa dans mon lit et m'entoura de ses bras.

Son étreinte m'enferma dans un espace étriqué où je n'arrivais pas à respirer. Je comptai jusqu'à cent dans ma tête, pour lui laisser le temps de s'éloigner avant que je n'en vienne à la repousser. Après tout, c'était mon anniversaire et elle voulait me faire plaisir. Maintenant, j'étais bien réveillée et j'étais prête à célébrer mes seize ans.

Maman et moi vivions seules depuis toujours. Ce n'était ni mal ni bien, c'était simplement ça. Nous partagions une connivence monotone et rassurante, sans déchirements ni grandes exaltations. Parfois, une sortie au restaurant, suivie d'un film, nous nous assoyions alors serrées l'une contre l'autre, l'immense sac de popcorn posé sur mes genoux, diffusant l'odeur douce et envahissante du maïs et du beurre fondu.

Quand le film nous faisait rire ou pleurer, elle pressait ma main dans la sienne, parfois un peu trop fort, mais je ne disais rien. Je savais que, sans moi, elle n'aurait jamais vu ce film, qu'elle n'aurait donc ni ri ni pleuré, je me sentais fière et importante.

Il m'arrivait de me demander ce que nous avions en commun, elle et moi. Il m'arrivait de trouver que l'air que nous respirions ensemble manquait d'oxygène. Les efforts que maman mettait à injecter de la vie dans notre bulle de silence avaient le don de m'exaspérer : elle était si pathétique dans cette exhibition théâtrale d'une vie qui ne serait jamais la nôtre. Alors, je disais des mots blessants, ou je sortais en claquant la porte.

Mais le plus souvent, nous coexistions dans une relative harmonie, et nous nous contentions de notre présence mutuelle, rarement agrémentée par des diversions.

Maman était enfant unique, et je n'avais donc aucun oncle, tante ou cousin avec qui partager un repas ou un week-end. Invariablement, je rentrais de l'école, regardais un peu la télévision et m'appliquais à faire mes devoirs.

Puis je plaçais au four le plat qu'elle avait préparé à l'avance, la veille, afin qu'il soit chaud lorsqu'elle arriverait, essoufflée, des paquets dans les mains, pour jeter son manteau sur la banquette du hall d'entrée en criant : « T'es là, Fanny ? »

Oui, j'étais là, et je finissais justement de mettre la table, pendant que le parfum du pâté chinois, de la lasagne ou du poulet aux olives s'exhalait dans toute la maison.

Nous mangions ensuite face à face et nous nous relations les événements de la journée : moi les anecdotes de l'école, elle les histoires de ses collègues à la clinique, ou encore celles de ses patients qu'elle ne nommait jamais — histoires dont elle tentait de tirer l'élément clé, le dilemme moral qui allait me faire réfléchir à ma propre vie, à mes propres choix et décisions.

J'aimais ces conversations dans lesquelles je jouais le rôle d'un interlocuteur adulte. De temps en temps, j'essayais de la faire rire, de faire ressortir l'absurde d'une situation, mais mes blagues tombaient souvent à plat. Maman riait rarement, pour elle, la vie était un travail sérieux qu'il fallait mener sans se laisser distraire, avec application. Et son rôle consistait à me préparer à cette tâche que les humains se transmettent, de génération en génération.

Nous poursuivions notre conversation en rangeant la cuisine, puis nous repartions, chacune vers sa planète : moi sur Internet ou dans un livre, elle dans ses dossiers, ou alors, occasionnellement — comme je le découvris un jour en regardant par-dessus son épaule tandis que je la croyais absorbée dans son travail —, sur des sites de rencontres où elle recherchait l'âme sœur.

Cette découverte m'avait vrillé le ventre, moi qui pensais combler tous les besoins de maman, tout comme elle comblait, parfois trop généreusement, mes besoins à moi. Mais il n'y avait pas de quoi s'inquiéter : ses recherches ont échoué, et aucun homme ne troubla jamais notre quotidien. Jamais de rasoir électrique, de cuvette avec la lunette relevée, de troisième brosse à dents sur le lavabo.

Nous vivions donc seules, elle et moi, Hélène et Fanny, ensemble, inséparables, telles les deux faces d'une même pièce de monnaie, irrémédiablement soudées l'une à l'autre.

Mes grands-parents habitaient en Floride, dans un condo avec vue sur la mer qui sentait le talc et les produits de nettoyage. Nous allions leur rendre visite à Noël, je déballais mes cadeaux devant un sapin artificiel, et nous passions quelques soirées à jouer au toc ou à la dame de pique. Le jour, nous allions voir la mer, avec les autres vieux. Puis nous rentrions à Montréal.

L'été, maman louait un chalet dans les Laurentides, toujours le même. Le jour, nous allions à la plage et, le soir, nous regardions des films loués au club vidéo du village.

Au contraire de la maison de Sara, chez qui j'allais parfois après l'école, il n'y avait pas chez nous de portes qui claquent, de parents qui crient, de grandes tablées où tous parlent en même temps, de frères qui font voler un ballon au-dessus de la table, de barbecues où les hommes préparent les grillades pendant que les femmes mettent la table en potinant.

Tout était aplani, sans aspérités, et le moindre changement à nos habitudes venait rompre l'ordre

naturel des choses avec un fracas que seules nous deux
— maman et moi — pouvions entendre.

C'est ce qui se passa ce jour-là, quand mes yeux
tombèrent sur les entrailles de la boîte où gisait, inerte,
le cadeau de mes seize ans. Maman se redressa en me
guettant du regard, dans l'attente impatiente de ma
réaction.

« Tu es une femme, maintenant », répéta-t-elle
pour meubler un silence qui enflait au point de devenir
gênant.

Le visage sérieux de maman, tout concentré dans
l'effort de me rendre heureuse, cette phrase vide qu'elle
ne cessait de répéter, tout ce décorum dont elle avait
entouré mon anniversaire, me forçant à feindre le
contentement alors que je m'étais attendue à commencer la journée en me régalant de mes nouveaux CD...
Toutes ces émotions se sont agglutinées en une boule
de venin qui a trouvé son chemin jusqu'à mes lèvres.

« Comment veux-tu que je sois une vraie femme
si je ne connais même pas le nom de mon père ? Une
vraie femme doit au moins savoir qui est son père »,
jappai-je, lançant mon jet de rage vers l'endroit précis
où, je le savais bien, je lui ferais le plus mal.

Les mots se sont enfoncés dans la chair de maman
avec l'aisance d'un couteau plongeant dans le beurrier.
C'était presque trop facile, et je regrettai aussitôt de les
avoir prononcés.

Elle pâlit, se leva, me tourna le dos sans dire un
mot et quitta ma chambre en fermant doucement la
porte. Je n'avais même pas eu le temps de m'excuser. Et

je restai là à contempler ces perles mortes, figées dans leur insignifiante boîte en carton.

*   *   *

Maman et moi avions peu de conflits, et, lorsque cela arrivait, nous mettions peu de temps à nous réconcilier. Peut-être parce que nous n'avions personne d'autre au monde et que, devant cette donnée incontournable, cette poutre maîtresse de notre vie, toutes les guerres nous paraissaient à la fois dérisoires et beaucoup trop effrayantes.

J'ignore combien de temps je restai assise sur mon lit, paralysée, incapable de comprendre ce qui m'avait poussée à prononcer le mot en « p » — père, papa —, le mot indicible, la cité verbale interdite.

Depuis les confins de ma mémoire, je n'avais jamais eu de père. Toute petite, je n'en avais pas conscience, et ma vie avec maman me semblait d'une normalité évidente. La nuit, il m'arrivait de la rejoindre dans son lit pour m'emplir de son odeur, arrimée à ce dos solide qui se soulevait régulièrement au rythme de sa respiration.

Je ne manquais de rien, ayant à ma disposition nuit après nuit ce corps fort, doux et apaisant.

Parfois, nous prenions notre bain ensemble avant d'enfiler nos pyjamas et de nous installer devant la télé, avec des chips et un sandwich au fromage grillé. Monotone, notre vie n'avait pourtant rien de triste, et mon univers était plein, ses contours bien marqués par la présence vibrante de maman.

La réalité d'un manque m'apparut un jour sous la forme d'un homme venu chercher sa fille à la garderie. Il la faisait sauter en l'air en disant des choses idiotes et elle faisait semblant de hurler de peur en ouvrant sa bouche pleine de dents.

« J'aimerais que mon papa vienne me chercher demain, annonçai-je à maman le soir même, alors que nous courions sous la pluie vers la voiture.

— Tu n'as pas de papa », trancha maman, sur un ton qui ne souffrait pas la contradiction.

J'en conclus qu'un papa, c'est quelque chose que certains enfants possèdent, et d'autres pas, comme une poupée qui fait pipi, une trottinette ou un train électrique. Cette réponse me suffit pendant quelque temps, moi je n'ai pas de papa, disais-je aux adultes trop curieux, et j'en tirais même une certaine fierté.

Maman et moi formions un monde entier, et c'était très bien comme ça, toute présence supplémentaire ne pouvait que rompre cet équilibre, un père ne pouvait qu'être un poids excédentaire, un intrus.

Mais un après-midi, chez Sara, nous avons feuilleté un livre où l'on voyait deux chiens s'embrasser, se serrer dans leurs pattes velues pour fabriquer un chiot tout ébouriffé. Sara était convaincue que ça se passait de la même manière chez les humains.

« Le papa doit mettre une graine dans le ventre de la maman, c'est comme ça qu'on fait les enfants, m'assura-t-elle.

— Mais non, ce n'est pas vrai, regarde moi, dis-je avec un rire nerveux.

— Toi aussi, tu as un papa, seulement tu ne le connais pas », répondit Sara avec toute l'assurance de ses six ans. Puis elle ajouta : « D'ailleurs, peut-être qu'il est mort. »

Le soir, à table, je demandai à maman s'il était possible qu'une femme place toute seule des graines de bébé dans son ventre et, si oui, où elle avait acheté les miennes.

Maman posa sa cuillère, essuya sa bouche avec lenteur et prit une grande respiration, comme avant de plonger.

« Bon, d'accord… La vérité, c'est que tu as un père, mais il est parti, et tu ferais mieux de l'oublier. Ta vie, c'est ça. Il y en a qui n'ont pas de bras, d'autres qui n'ont pas d'argent ou pas d'éducation, toi, tu n'as pas de père. Ce n'est pas idéal, mais ça aurait pu être pire. »

Les questions volaient dans ma tête avec la fébrilité des papillons de nuit qui grillent leurs ailes autour d'une ampoule. Qui était-il ? Est-ce que je le connaîtrais un jour ? Est-ce qu'il était mort ? Et pourquoi donc maman m'avait-elle menti ?

« Je ne t'ai pas menti, seulement, avant, tu étais trop petite pour comprendre », rétorqua-t-elle sur un ton inhabituellement dur. Ses lèvres semblaient s'être amincies et une ombre voila ses yeux, leur donnant une teinte foncée que je ne connaissais pas.

Nous étions restées là, sans bouger, comme si nous venions de voir émerger un coffre du fond de la mer et que nous ne pouvions nous résoudre à l'ouvrir, de crainte de ce que nous allions y trouver. Un trésor ? Ou des couvertures transportant une terrible épidémie ?

Il fallut ce collier idiot pour me ramener, dix ans plus tard, précisément au même point, sur la même plage, devant ce même coffre, toujours fermé.

Avais-je vraiment envie de regarder ce qu'il y avait dedans ? Oui, peut-être. Non, qu'est-ce que ça pouvait bien me donner ? J'étais figée, coupable d'avoir blessé maman alors qu'elle venait m'offrir mon cadeau d'anniversaire. Mais aussi étrangement légère, comme si ces deux mots — mon père, adjectif possessif, substantif — s'étaient échappés de ma bouche en emportant un gros poids.

*   *   *

Il y avait maintenant du bruit dans la chambre de maman, elle déplaçait des objets, ouvrait des tiroirs, j'eus même l'impression de l'entendre chanter, ou plutôt marmonner un air qui m'était inconnu.

Le bruit s'est ensuite déplacé vers la cuisine : plats, casseroles, tintement d'assiettes qui s'entrechoquent, suivi d'un grésillement et d'un parfum de friture.

Puis cette invitation, lancée à travers la porte : « J'ai fait du pain doré, viens, Fanny, on va parler. »

Les assiettes atterrirent sur la table de verre avec une maladresse inhabituelle. Je piquai ma fourchette dans une tranche de pain baignée de sirop d'érable. Je tournai la mie dans l'assiette, pour l'imbiber du liquide sucré. Et j'entendis, pour la première fois, l'histoire de ma conception.

Avec ses cheveux trop fins, ses épaules un peu tombantes et d'affreuses lunettes qui couvraient la moitié de son visage, Hélène n'attirait pas les regards; elle passait plutôt pour une étudiante modèle, du genre à compenser par ses succès scolaires son manque de popularité auprès des garçons.

Elle étudia longtemps, d'abord la biologie, puis la psychologie. Son principal sujet de recherche n'avait rien de joyeux : elle voulut explorer le phénomène de la mort, ou plutôt la manière dont la psyché humaine compose avec ce dénouement inéluctable, ce mur de brique qui forme l'horizon ultime de notre existence.

C'est lors d'un projet de recherche clinique avec des enfants cancéreux incurables qu'elle rencontra Charles, un pédiatre de quelques années plus jeune qu'elle, fasciné lui aussi par la force et la lucidité de ces petits malades en route vers le néant.

À trente-six ans, Hélène avait vécu l'essentiel de sa vie adulte seule, trouvant cet état presque naturel. Elle avait connu, ici et là, quelques aventures qu'elle ne parvenait même pas à qualifier d'amoureuses.

Mais le regret de ce qu'elle ne possédait pas — une vie sentimentale riche, un homme dans son lit, une famille — était largement compensé par le plaisir de ce qui lui appartenait : l'excitation de la recherche, l'ébahissement devant la découverte de retranchements mystérieux de l'esprit humain.

Charles n'avait pas eu à accomplir un tel troc. Il

était le genre d'homme à tout vouloir, tout de suite. Et à croire qu'il pouvait tout mener de front.

Il avait donc poursuivi ses études de médecine tambour battant, alignant succès universitaires et conquêtes féminines dans un équilibre presque parfait : pour chaque échelon gravi, une femme nouvelle, ou presque.

Sa vitalité dévorante ne s'en contentait pas : il se maria, eut deux enfants et venait d'apprendre qu'il en attendait un troisième le jour où Hélène lui fonça dessus avec une tasse en styromousse remplie de café brûlant, au laboratoire de recherche pédiatrique où il venait d'être affecté.

« Cette fille est beaucoup plus belle qu'elle ne le croit elle-même », se surprit à penser Charles alors qu'Hélène essuyait d'un geste brusque le liquide qui venait de se répandre sur son chemisier blanc.

Désormais, Charles et Hélène allaient se croiser plusieurs fois par semaine, participant aux mêmes réunions, échangeant leurs impressions sur les jeunes patients. « Les médecins manquent de psychologie, disait Charles. Ils ne devraient pas se contenter de traiter uniquement le corps des enfants, et c'est encore plus vrai quand il s'agit de corps détraqués au-delà du point de guérison. »

Comment parler à ces jeunes patients ? Que leur dire ? Comment les aider à apprivoiser le fait qu'ils sont sur le point de mourir ? « En vérité, ce sont eux, les enfants, qui nous aident à accepter la mort », lui répliqua un jour Hélène.

Il voulut la suivre dans ses rencontres avec les enfants, ses petits soldats de la mort, comme elle les appelait. Elle accepta. Il était ébloui par sa manière à la fois calme et crue d'aborder ce sujet délicat. Un jour, un rayon de soleil transperça la fenêtre sale de l'hôpital pour illuminer brièvement la joue d'Hélène, et Charles pensa qu'il devait rendre cette femme à sa beauté. Que c'était là presque son devoir, une sorte de projet para-professionnel, une expérience scientifique menée à l'insu de sa collègue.

Hélène sentit peser sur elle ce nouvel intérêt, mais restait distante: n'attendait-il pas son troisième enfant? La séduction seule n'est pas venue à bout de sa résistance. La mort, si.

Un soir, Charles et Hélène assistèrent, impuissants, à l'agonie d'une fillette de sept ans atteinte de leucémie. Son état s'était aggravé soudainement et ses parents — un couple de Juifs russes récemment immigrés d'Israël — arrivèrent à l'hôpital cinq minutes trop tard. Ils exprimèrent leur détresse avec des cris inhumains.

Spontanément, sans se consulter, Charles et Hélène tentèrent de consoler les parents, lui le père, elle la mère, tous deux hurlant leur douleur dans une langue incompréhensible.

Ce soir-là, Hélène invita Charles à prendre un verre chez elle, dans son loft aérien surplombant le fleuve. Il n'avait pas planifié les choses de cette manière, mais elles s'étaient déroulées ainsi, et, conjurant la mort de l'enfant, et celle, imminente, de tous leurs autres petits condamnés, et peut-être aussi un peu la leur, Charles et Hélène n'attendirent pas d'avoir vidé leur premier verre de scotch pour célébrer la vie, là, sur le sofa de cuir blanc, devant la nuit qui miroitait de toutes les lumières de la ville.

Après, ils continuèrent à boire, à parler et à s'aimer dans cet appartement ascétique suspendu entre ciel et terre, cette maison de verre, comme la baptisa Charles. Il y revint souvent, sans attendre que d'autres enfants meurent. De toute façon, cette menace qui semblait tout justifier était omniprésente, ils la portaient en eux jour et nuit, leurs sarraus blancs, leur peau et leurs mains en étaient tout imprégnés.

Sur le conseil de Charles, Hélène changea ses lunettes pour des verres de contact, se fit couper les cheveux « comme Juliette Binoche dans *Bleu* », raccourcit ses jupes et resserra ses pantalons.

Ses collègues la trouvaient rayonnante, et, quand ils le lui disaient, elle lançait un regard discret vers Charles, qui rougissait d'orgueil. Cette Hélène-là, c'était son œuvre, son nouvel accomplissement.

Mais la fierté de Pygmalion ne suffit pas à modifier le cours de sa vie. Un matin d'avril, la femme de Charles donna naissance à une fille, la première après deux garçons. Elle avait un visage veiné de rose et encerclé par des boucles noires, qui n'allaient pas tarder à tomber pour céder la place à un fin duvet roux.

Pendant plusieurs semaines, cette nouvelle femme dans la vie de Charles aspira toute son attention : ses premiers sourires, ses premiers toussotements, la manière dont elle s'endormait sur le sein de sa mère en continuant de téter dans le vide, tout était prétexte à émerveillement.

Hélène s'attendait bien à ce que Charles ait moins de temps pour elle à la naissance du bébé. Mais pas à cette indifférence soudaine, pas à être du jour au lendemain éjectée de son orbite.

Elle venait de fêter ses trente-sept ans. Et à force de suivre ainsi, bien qu'indirectement, la naissance d'un nouvel être humain, pendant que ses petits soldats s'évanouissaient l'un après l'autre, elle se rendit compte que ses propres chances de fonder une famille s'amenuisaient de jour en jour.

Jusque-là, elle n'avait jamais vu sa fertilité comme un bien limité dans le temps, une ressource dotée d'une date de péremption. Maintenant, un désir impérieux, brutal, dont elle n'avait jamais eu conscience, s'emparait d'elle. Une urgence fabuleuse et tyrannique.

C'était comme un orage subit qui la flagellait sans cesse, refusant de s'apaiser, un aimant qui la tirait contre son gré dans une seule direction.

Autour d'elle il y avait bien quelques collègues enceintes ou déjà mères, mais elles étaient rares. Dans son univers de cliniques et de laboratoires, tous les choix se valaient, si bien qu'Hélène avait longtemps imaginé pouvoir vivre toute sa vie sans autres enfants que ses petits patients, ses petits soldats de la mort.

À défaut de faire naître des enfants, elle pouvait au moins en aider quelques-uns à mourir : voilà qui lui avait longtemps semblé juste et suffisant.

Mais la naissance de la petite Marie-Ève et l'éloignement subséquent de Charles provoquèrent chez Hélène un sentiment aigu de solitude et une soif nouvelle, insupportable. Elle devait, elle aussi, faire naître un enfant. Le concevoir, le sentir bouger en elle, le nourrir, le regarder grandir. Pourquoi n'y avait-elle pas pensé plus tôt? Il lui restait si peu de temps.

Un jour, elle voulut revoir son amie Claire. Elles s'étaient connues à l'école, puis elles s'étaient suivies jusqu'à l'université, où Claire termina un bac en biologie avant d'épouser un étudiant en médecine qu'elle allait suivre à Boston, puis sur la Côte-Nord.

Maintenant revenue à Montréal, Claire avait deux enfants: un garçon de dix ans et une fillette de cinq ans. Entre les deux, il y avait eu une série de complications et de fausses couches.

Claire travaillait à temps partiel dans un laboratoire, vivait dans un bungalow de Longueuil et passait ses dimanches à cuisiner les repas de la semaine suivante et à conduire ses enfants à des cours de natation et de karaté.

Cette maison pleine de dessins sur les murs, de vélos jetés de travers sur la pelouse, de rendez-vous chez le dentiste épinglés sur le réfrigérateur, de muffins congelés dans des sacs Ziploc, de fusils à eau et de cordes à danser abandonnés sur le carrelage, cette vision de désordre familial aux antipodes du décor dans lequel évoluait Hélène allait désormais lui servir d'horizon.

Voici donc ce qu'elle désirait ardemment. Un enfant. Même un seul. Et même seule.

Elle prit rendez-vous avec un gynécologue, lui demanda de retirer son stérilet, et cessa aussi de reprocher à Charles la rareté de leurs rencontres. L'important, désormais, n'était pas la quantité de leurs tête-à-tête, mais bien leur planification.

Croyant qu'Hélène lui échappait au moment précis où il émergeait de la torpeur de sa nouvelle paternité, Charles ressentit un soudain regain d'intérêt pour sa collègue.

« Je veux te voir », lui murmurait-il entre deux patients, tandis qu'elle comptait les jours jusqu'à sa prochaine ovulation. Lucide comme ses petits soldats devant la mort, Hélène ne croyait pas Charles quand il lui disait, dans des moments d'abandon, qu'il allait bientôt quitter sa femme et venir partager sa maison de verre.

De toute façon, elle n'avait même pas envie de le croire. Elle voulait un enfant, c'est tout. Tout de suite. Maintenant. « Tu te protèges toujours ? » lui demanda-t-il un soir. « Bien sûr, mon chéri », lui répondit-elle presque trop rapidement, avec une suavité qui aurait dû éveiller ses soupçons.

Rassuré, il reprit ses caresses, et c'est cette nuit-là qu'ils conçurent Fanny.

* * *

Telle était donc ma genèse : une aventure entre une psychologue recluse et un pédiatre débutant et hyperactif. J'avais imaginé tant de scénarios, un chanteur populaire, un politicien qui ne pouvait pas me reconnaître comme sa fille, pour préserver sa réputation.

Mais jamais quelque chose d'aussi bête. J'étais le fruit d'une liaison extraconjugale entre une professionnelle esseulée et un collègue qui en avait profité sans se soucier des conséquences.

Une question me chicotait plus que toutes les autres. « Tu n'avais jamais pensé à moi ? Enfin, à l'enfant ? Tu ne te demandais pas s'il avait envie de venir au monde dans de telles circonstances ? »

Non, maman ne s'était apparemment jamais posé cette question. Devant sa légion de mourants, donner la vie semblait constituer un but suffisant. C'était, pour elle, une fin en soi. Élever un enfant seule, elle s'en sentait parfaitement capable, n'était-elle pas psychologue, après tout ? Si elle pouvait préparer tous ces enfants à la mort, elle saurait bien s'y prendre pour en armer au moins un pour la vie…

Une dernière tranche de pain doré refroidissait dans mon assiette, mais je n'avais plus faim. « Et lui, il sait que j'existe ? Tu le lui as dit ? »

Le regard de maman se brouilla, elle remit du café sur le feu et attendit qu'il soit prêt avant de reprendre son récit.

* * *

Dans les mois qui suivirent la naissance de ma demi-sœur, Charles entreprit des démarches pour être muté à l'extérieur de Montréal. Le projet de recherche qu'il menait aux côtés d'Hélène tirait à sa fin, leur liaison aussi, cela lui paraissait de plus en plus clair.

La petite Marie-Ève avait le sommeil fragile, et toute la famille était nerveuse, survoltée. En région, les hôpitaux manquaient de pédiatres et les jeunes médecins avaient droit à une prime, pour un travail qu'il imaginait plus facile.

D'un seul coup, Charles pouvait fuir la ville, l'épuisement chronique, et une maîtresse peu exigeante, il est vrai, mais pour laquelle il ne ressentait plus que des sursauts de passion passagers.

Charles eut vent d'un poste à l'hôpital de Rimouski, où sa femme pourrait, dès l'automne, reprendre des études laissées en plan à cause des grossesses successives.

Il choisit d'annoncer la nouvelle à Hélène à la cafétéria de l'hôpital, devant un sandwich et un café. « Je pars », lui dit-il laconiquement, en remarquant qu'elle portait une chemise tachée. Il sourit intérieurement au souvenir de leur rencontre : le tissu blanc maculé de café, c'est là que tout avait commencé, c'est là que tout allait finir, la boucle était bouclée.

« Je suis enceinte, répondit Hélène en repoussant sa tasse d'une main. Enceinte de deux mois, j'accoucherai en août. » Il voulut savoir si c'était lui le père, elle dit : « Oui, non mais franchement, qui d'autre, selon toi ? »

Mais ne lui avait-elle pas dit qu'elle ne courait aucun risque ? Hélène aurait pu s'esquiver. Sans réfléchir, parce qu'elle n'avait plus rien à perdre, elle lui dit la vérité. « Je voulais un enfant, je me doutais que tu n'en voudrais pas, enfin, pas avec moi… J'ai trente-sept ans, tu sais. Je n'ai plus beaucoup de temps. »

Il écrasa sa tasse de café entre ses doigts et le liquide gicla sur la table en plastique. « C'est incroyable, tu ne te rends pas compte ? Et moi, là-dedans ? C'est comme… comme… comme un viol, tiens, c'est comme si tu m'avais violé. »

Il parlait en découpant les mots, qui sifflaient d'une rage sourde entre ses dents. Leurs vies avec leurs millions de possibilités étaient suspendues dans la cafétéria blême où des collègues les saluaient en passant, sans qu'ils se donnent la peine de leur répondre.

« Je ne te demande rien, pas d'argent, pas d'aide, c'est mon enfant, c'est à moi, vis ta vie, je ne te demande rien, ça ne te dérangera pas, assurait Hélène.

— Pour une psychologue, tu ne comprends vraiment rien, attaqua-t-il méchamment. J'ai déjà trois enfants, je sais ce que ça représente, tu n'as pas le droit de me faire ça ! Fais-toi avorter, je t'en supplie !

— Me faire quoi ? Non mais t'es tombé sur la tête ? Tu crois que je n'ai pas le droit, moi, d'avoir un enfant ? Et que toi, tu peux en fabriquer en série ? Mais au nom de quoi, au juste ? Allez, explique-moi ! »

La sonnerie du téléavertisseur mit un terme à cette conversation. Charles dut se précipiter vers un enfant malade, Hélène se leva, plaça le plateau de Charles sur le sien et se dirigea d'une démarche chaloupée vers la cuisine, en appuyant une main sur ses reins, comme le font les femmes enceintes.

* * *

« Regarde, c'est lui, à l'époque où nous nous sommes rencontrés », dit maman en tirant une photo d'une enveloppe jaunie.

J'avais devant mes yeux le jeune Charles : un homme de trente et un ans, bien calé dans un sofa d'un blanc immaculé. Il souriait — à maman ? — en montrant des dents irrégulières, comme l'avaient été les miennes avant qu'un dentiste ne me les enserre dans des broches.

Je ne mis pas de temps à trouver les autres ressemblances : les sourcils bien marqués, comme les miens, les lèvres pleines et légèrement boudeuses, comme les miennes. Ce sourire un peu triste, comme s'il craignait de se déployer entièrement, ressemblait aussi à mon sourire.

Pour le reste, c'était un de ces jeunes hommes des années quatre-vingt, avec des cheveux trop longs et une barbe mal rasée. Il me parut un peu maigre, les traits tirés, avec une petite lumière dansant au coin de l'œil, un éclat d'intelligence et de tendresse qui semblait prémunir cet homme — mon père ! — contre tout soupçon de méchanceté.

Je demandai s'il avait déjà voulu me voir. Non, dit maman. En fait, elle-même l'avait contacté deux ou trois fois, au fil des ans, en se disant — elle était psy, après tout — qu'un enfant devait un jour ou l'autre connaître son père. Chaque fois, il avait refusé.

« Il m'en a toujours voulu », dit maman, et je ne

pouvais que le comprendre — cet homme chevelu, cet étranger, mon père.

Peu avant ma naissance, maman avait déménagé. Fini le loft de verre, échangé contre un six et demie avec terrasse, où je vis le jour précisément neuf mois et trois jours après la nuit où ma mère avait menti à mon père.

Avec la venue du bébé, Hélène dut ralentir son travail de recherche. Elle opta plutôt pour un poste dans une clinique pédiatrique qui lui assurait des revenus réguliers et des horaires stables.

Mais il n'y avait pas que ça. Elle traitait des enfants blessés par la vie, et elle les aimait d'autant plus qu'elle avait maintenant, elle aussi, sa propre enfant à protéger.

Quant à Charles, son exil ne le guérit pas de sa propension à l'infidélité. Mais Rimouski n'est pas Montréal, et les rumeurs y montent aussi vite que la marée.

La femme de Charles essaya la patience, mais après l'infirmière, il y eut une libraire, puis une travailleuse sociale. C'était trop. Elle fit ses valises, installa ses enfants dans la voiture et rentra à Montréal — transportant dans son ventre son quatrième enfant, fruit d'une ultime tentative de réconciliation avec Charles.

Charles mit quelques mois avant de se faire muter, une fois de plus, et de suivre sa famille à Montréal. Mari volage, il était un père loyal et dévoué. Il voulait s'occuper des enfants, qui partageaient désormais leur vie entre deux maisons.

Non, il ne chercha jamais à revoir Hélène. Mais il fit la connaissance d'Édith, une avocate divorcée, mère de deux ados, responsable du contentieux de son nouvel hôpital.

Rapidement, ils emménagèrent ensemble dans une grande maison de Ville Mont-Royal, un quasidomaine avec jardin et piscine où les enfants de l'un et de l'autre se croisaient, une semaine sur deux, dans un constant brouhaha.

*   *   *

Maman me laissa la photo de Charles. Je la scrutais chaque soir, avant de m'endormir, comme pour m'en imprégner. Dans toute cette histoire, je n'avais que la version de ma mère. Mais même si mon père s'avérait ce séducteur compulsif, cet infatigable coureur de jupons, la vérité, c'est qu'il n'avait jamais abandonné ses enfants.

Sauf moi, bien sûr. Mais ça aussi, je le comprenais : n'avais-je pas été le fruit d'une tromperie ? Si ça n'avait pas été le cas, tout aurait été différent, j'en étais convaincue. Après tout, si mon père m'avait écartée de sa vie, c'était la faute de ma mère, pas la sienne...

Telle était la réalité que je lus sur la photo de Charles, dans la bulle rieuse qui dansait au coin de son œil gauche. Il me semblait évident que mon père était un homme affectueux, qui avait été éloigné de moi dès ma conception en raison de circonstances créées par quelqu'un d'autre — en l'occurrence, maman.

Chaque soir, j'examinais cette photo, maintenant toute chiffonnée, le visage de Charles quadrillé de petites lignes formées par le fendillement du carton.

Je m'éloignais de maman, qui m'apparaissait soudainement sous un jour nouveau. En quoi cette femme si sérieuse, mais pourtant capable de tromperie, de manipulation, était-elle meilleure que mon père, cet homme léger et trop aimant?

De temps en temps, je lui posais une question, à la recherche de quelque détail destiné à compléter le portrait de Charles. Était-il drôle? Oui. Sportif? Pas beaucoup, parfois du jogging, de la marche en montagne. Aimait-il lire? Ça oui, tout ce qui lui tombait sous la main: magazines, journaux, romans d'espionnage, biographies.

« Tu vois, Fanny, ton père est un homme doté d'un grand appétit, et peu de femmes acceptent de n'être qu'un plat dans un banquet », me confia-t-elle sentencieusement un jour.

Mais sur quelle planète vivait donc ma mère pour confondre l'amour et l'alimentation? Pas étonnant qu'elle soit restée seule toutes ces années… Son absence même de colère me parut suspecte. J'y lus la confirmation de mon propre diagnostic, une admission de sa faute: mon père était un homme fondamentalement bon, et c'est elle, et elle seule, qui avait décidé de me lancer dans la vie amputée d'une part de moi-même. Avec l'arrogance de croire qu'elle saurait me suffire. Que je n'aurais jamais besoin de rassembler tous mes morceaux.

Je m'enfermai dès lors dans un mutisme hostile, nos repas autour de la table ronde se muèrent en une épreuve, une lutte à mort entre ma mère, qui tentait de reprendre le fil de nos anciennes conversations, et moi, qui lui répondais par des onomatopées, lui renvoyant le reflet amplifié de ses efforts de communication infructueux.

Elle soupirait, me scrutait avec son œil perçant de psychologue, et je me sentais comme un corps livré à l'autopsie. De quel droit me regardait-elle comme ça? Exaspérée, je m'enfuyais, en prenant soin de faire retentir le plus fort possible la porte de ma chambre.

Je voulus en savoir plus sur Charles. Comment était-il aujourd'hui, cet ancien jeune premier trop fringant, débordant de vie? Son nom, sur Google, me conduisit vers une série d'articles savants, puis vers son site personnel à l'université où il enseignait depuis peu.

Sur la photo, ses joues semblaient s'être renflouées, et il avait perdu un espace équivalent en cheveux. Mais le petit feu tendre et ironique clignotait toujours dans son regard.

Charles était aussi cité dans des articles de journaux. Il avait fondé une unité de soins psychomédicaux pour jeunes délinquants. C'était une initiative unique, certains de ces garçons avaient maintenant un boulot, ils s'étaient réconciliés avec la vie.

Leurs témoignages à l'égard de mon père confirmaient mes propres déductions : Charles avait le cœur plus gros que la planète. Il voyait dans ces enfants, dont certains avaient précisément mon âge, ce que personne d'autre n'y décelait : l'espoir d'une rédemption.

Pendant que mes résultats scolaires dégringolaient, je poussais plus loin mon investigation, complètement absorbée par cet homme qui, sans le savoir, était devenu l'épicentre de ma vie.

Je localisai la maison de pierre en face d'un petit parc où Charles accueillait, une semaine sur deux, mes trois demi-frères et ma demi-sœur. La maison ressemblait à celle de Sara, en plus bruyant.

Derrière la clôture, je voyais parfois des geysers d'eau chlorée fuser au-dessus de la piscine, dans un piaillement de voix et de sons divers. Un panier de basket-ball était accroché au-dessus du garage ; les garçons s'y arrêtaient en rentrant de l'école, passant des heures à lancer le ballon.

J'essayai de départager les enfants qui m'étaient apparentés et les deux autres, ceux de sa nouvelle compagne, qui ne m'intéressaient pas.

J'étais surtout curieuse de reconnaître Marie-Ève, dont la naissance était, jusqu'à un certain point, mêlée à la mienne. Un après-midi, je vis une grande fille avec des bras trop longs et une jupe très courte, découvrant un ventre légèrement bombé, arriver à la maison, un étui de violon à la main.

Ses cheveux étaient attachés en queue de cheval. Elle balançait son instrument en sautillant. « Ouvre-moi la porte, j'ai quelque chose pour toi », cria-t-elle à l'un de ses frères. « Tu m'énerves, t'oublies toujours tes clés », répondit une voix de garçon.

De loin, elle paraissait plus âgée que moi, mais surtout, il me sembla, plus légère, aérienne. À un moment, sentant peut-être mon regard, elle se tourna vers le banc de parc sur lequel je faisais semblant de lire un magazine. J'eus l'impression de tomber au fond de mon corps : ce visage pâle, aux pommettes marquées, c'était presque le mien. Même la fossette était là, sur la joue droite. Comme la mienne.

Je replongeai dans ma revue en me demandant si elle savait que j'existais. Peut-être, sans le savoir vraiment, en avait-elle au moins l'intuition ? Y avait-il, dans leur toile familiale pleine de fils entremêlés, un espace en creux qui était le mien ?

*   *   *

Plus je m'enfonçais dans ma rêverie, plus je me murais dans le silence face à ma mère, et plus mes résultats scolaires se dégradaient. Dans quelques semaines, j'allais subir une série d'examens déterminants pour mon admission au cégep.

Ma mère me scrutait d'un œil inquiet et interrogateur, et plus elle se souciait de moi, plus je me braquais. Tout ça n'était-il pas sa faute ? Qu'avais-je à faire de mon avenir quand il y avait une crevasse béante dans mon passé ?

Un jour, j'en parlai avec Sara ; comme toujours, elle avait une réponse toute prête. « Tu dois rencontrer ton père, lui téléphoner, faire les premiers pas, il ne sait pas que tu connais son existence. »

Comment faisait-elle pour avoir autant de certitudes ? J'admirais sa résolution, mais cette éventualité — prendre contact avec mon père, lui proposer une rencontre — me plongea dans une angoisse nouvelle.

Ainsi donc, je pouvais d'un seul geste — cogner à la porte, téléphoner — enjamber seize années d'absence, lui parler, le toucher, lui, Charles, le pédiatre, mon père. Tous les soirs, je me couchais en me disant : « Demain. » Et tous les matins, je m'éveillais en me disant : « Pas aujourd'hui. »

C'est maman, finalement, qui mit fin à mon supplice. Un soir, j'étais couchée dans mon lit à écouter de la musique quand elle frappa à la porte pour venir me rejoindre avec, dans le regard, l'air de savoir ce qu'elle faisait.

« Si tu veux, samedi prochain, tu pourras rencontrer ton père », dit-elle, directement, sans fioritures, comme autrefois quand elle abordait le sujet de la mort avec ses petits soldats.

Depuis peu, maman était active au sein d'une association de psychologues spécialisés dans les troubles infantiles. Un congrès aurait lieu à Montréal le weekend prochain. Et Charles avait été invité à y présenter une conférence.

Maman lui avait parlé, et il était d'accord. Pas avant la conférence, ça risquait de le troubler, mais après, à l'heure de l'apéro, dans un petit salon attenant.

Le voulais-je vraiment ? demanda maman. Oui, je le voulais, je le désirais de toutes mes forces. Mais maintenant que c'était possible, tout mon corps était noué devant la perspective de cette rencontre. Et lui, il me trouverait comment? Et s'il me jugeait bête? moche? ou les deux à la fois? Serais-je à la hauteur de cet être formidable, vanté par des dizaines de jeunes ex-voyous? Serais-je assez intéressante pour lui, moi qui n'avais jamais volé ne serait-ce qu'un paquet de gommes au dépanneur? Et puis, saurais-je le convaincre que, même si je condamnais les mensonges passés de maman, il avait néanmoins contribué à ma fabrication, et que ce n'était pas rien? qu'il me devait quelque chose, à moi aussi?

« Au moins, tu en auras le cœur net », trancha maman, que je retrouvais tout à coup telle que je l'avais toujours connue : résolue, concrète, appliquée, abordant les difficultés de la vie avec courage et simplicité.

Oui, ça valait la peine d'en avoir le cœur net — j'aimais cette expression, qui alliait l'intimité des sentiments au côté tranchant d'un couteau. J'imaginais mon cœur reprenant une forme précise, suivant une ligne claire et propre, après s'être répandu pendant des mois dans des méandres gluants, comme une bouche d'égout qui déborde sur le trottoir.

Restait à décider comment je m'habillerais pour l'occasion. Ou plutôt : comment allais-je apparaître à mon père? Comme une fillette un peu attardée dans l'enfance, avec un bermuda et un t-shirt froissé, selon mon habitude?

Non, il ne m'avait pas connue enfant, nous n'allions pas faire semblant, nous ferions l'économie de mes quinze premières années. N'ayant pas connu, moi, le Charles maigre et chevelu de trente ans, je tâcherais d'effacer toute trace de passé de mon corps et de mon visage pour me présenter devant lui comme une jeune femme, presque une femme adulte. Il m'aimerait telle quelle, débarrassée des ombres de l'enfance. C'était à prendre ou à laisser.

Nous dénichâmes, maman et moi, dans une boutique du centre-ville, une robe de coton vert sans manches, avec un col qui s'arrondissait à mi-chemin entre mon cou et ma poitrine, à la fois sobre et féminine. Nous y ajoutâmes des chaussures noires à bout pointu et un petit sac à main plastifié, à fermoir de métal. Les perles et les boucles d'oreilles assorties allaient, de toute évidence, compléter ma tenue.

Avait-elle prévu tout ça le jour où elle m'avait acheté ces bijoux? me demandai-je un moment. Et pour la première fois depuis longtemps, j'éprouvai un sentiment de reconnaissance à l'égard de maman.

* * *

En entrant dans la salle de conférences, Fanny se tenait toute droite contre l'épaule d'Hélène. Elle marchait d'un pas mal assuré dans ses chaussures pointues dont elle n'avait pas l'habitude, et qui lui faisaient mal. Elle regardait droit devant elle, comme si son cou avait été coincé dans une minerve, à la manière des grands blessés.

Ses joues brûlaient quand elle saluait timidement les collègues qu'Hélène lui présentait au passage, et qui l'inondaient de questions importunes, comme s'ils voulaient vraiment savoir vers quel champ d'études elle se destinait au cégep. Elle répondait n'importe quoi, sa bouche émettait des sons qu'elle souhaitait appropriés, mais sa tête était ailleurs.

Elles s'assirent enfin, et Fanny croisa ses mains sur ses genoux, serrant ses doigts sur le fermoir de son sac à main. De loin, elle sentait un regard peser sur elle. Ou peut-être se l'imaginait-elle ?

Le temps se déroulait mollement, avançant avec la grâce d'une méduse dans l'air épais, imbibé d'odeurs humaines, de la grande salle de l'hôtel. Fanny avait l'impression que toute l'assistance s'était agglutinée en une masse informe et qu'il ne restait plus qu'eux deux, elle, la fille, et lui, son père, réunis par un fil invisible qui creusait un tunnel de silence dans le vacarme des conversations.

Puis il s'approcha du lutrin et se mit à parler, d'une voix douce, un peu gutturale. Il décrivit surtout le phénomène de la résilience, citant en exemple Boris Cyrulnik, qui avait échappé de justesse aux camps nazis et qui passa sa vie à décortiquer ce qui pousse les victimes de l'horreur à vivre malgré tout. L'un des facteurs de résilience, expliqua-t-il, est la capacité d'attachement à un adulte significatif — et quand il dit cela, Fanny en était presque certaine, il tourna la tête dans sa direction. Puis les mots se mirent à voler au-dessus de sa tête avec les cris indistincts d'une volée d'outardes. Bientôt, cet homme que tous applaudissaient se trouverait en face d'elle. Et elle lui dirait quoi, alors ? Allo, papa ?

À un moment, Hélène prit sa main en chuchotant : « Viens, c'est le temps. » Fanny avança derrière sa mère comme dans un rêve, autour d'elle tout se confondait : les bijoux des femmes, le cliquetis des verres et des assiettes, l'odeur du poulet bouilli et de la purée qu'on s'apprêtait à servir aux convives.

Il n'y avait pas de salon intime, mais un petit banc près des toilettes de l'hôtel. Malgré ce décor décevant, Fanny tomba immédiatement sous le charme de Charles. Il sut lui parler avec simplicité, sans esquiver les questions fondamentales, mais sans non plus s'appesantir. Il se renseigna sur elle, sur la musique, les films et les livres qu'elle aimait, elle apprécia le fait qu'il la traite en adulte, avec naturel. Puis, sur le même ton, il lui confia qu'il était fier de l'avoir pour fille et regrettait que, compte tenu des circonstances, il n'ait jamais pu exercer pleinement son rôle de père.

Au début, il vivait loin, à Rimouski, et puis, le temps a passé, tu comprends ? Oui, elle comprenait, une chaleur légère, simple, différente de tout ce qu'elle avait connu émanait de lui, quelque chose de viril et de masculin, une présence à la fois concentrée et évanescente.

Il était fier d'elle, dit-il encore. Elle était belle et brillante, ça se voyait à son regard. Si semblable à celui de Charles…

Brièvement, comme dans un clip musical, l'image d'un gamin qui observe une grenouille avant de repartir courir après son ballon traversa l'esprit de Fanny. Elle se demanda si son père n'était pas en train de succomber au contentement narcissique devant une nouvelle preuve de l'excellence de son matériel génétique, mais la question ne fit que passer avant de s'envoler. Il lui fallut tout son courage pour demander : « Crois-tu qu'on pourrait se revoir ? »

Charles dit : « Oui, bien sûr », puis des collègues d'Hélène s'arrêtèrent pour le féliciter, sa conférence avait été fascinante, elle allait tant les inspirer dans leur travail.

Charles recueillait les compliments, mais il ne présentait pas sa fille, c'était comme si Fanny n'avait pas été là. Elle resta donc assise sur le banc pendant quelques minutes, ne sachant comment placer ses mains, tortillant le fermoir métallique de son sac à main. L'entretien était manifestement terminé.

Il lui fit un petit signe de la paume, un geste de complicité qui semblait dire : à bientôt. Elle se leva, retraversa le hall de l'hôtel, le collier de perles scintillant autour de son cou, comme une corolle blanche au-dessus de la robe verte.

* * *

Pendant les jours qui suivirent ma rencontre avec papa, j'étais euphorique. Les deux morceaux de ma vie étaient recollés. Comme les autres, je pouvais désormais dire, l'air de rien, « Mon père est médecin », « Mon père porte des lunettes pour lire » ou, encore, « Papa étudie la résilience, il a les cheveux poivre et sel ».

Puis j'attendis qu'il me fasse signe. Une semaine,

deux ont passé, et il n'arrivait rien. Maman paraissait soucieuse et passait beaucoup de temps dans sa chambre, à taper frénétiquement sur le clavier de l'ordinateur.

Soupçonnant que ces séances d'écriture rageuse me concernaient, je profitai d'une de ses réunions à l'association de psychologues pour entrer dans sa chambre.

Je tapai son nom sur Yahoo et j'inscrivis mon propre nom, Fanny, là où il fallait entrer le mot de passe. Ça fonctionna, et je me dis que maman était vraiment facile à percer. Au lieu de m'agacer, sa bêtise me parut réconfortante.

Les derniers courriels d'Hélène à Charles, puis de Charles à Hélène, apparurent sur l'écran.

« Je ne peux pas le faire, écrivait Charles dans le plus récent message. Tu ne comprends pas. Marie-Ève traverse une période délicate, tu sais ce que c'est, l'adolescence, les enfants ignorent tout de l'existence de Fanny. Déjà que ce n'est pas facile d'arrimer deux familles, mon couple n'est pas très solide non plus. Et il y a déjà six enfants dans ma vie, est-ce que tu comprends ça ? Toi, tu n'en as qu'une. Et je n'ai jamais été consulté à son sujet, faut-il te le rappeler ? Mais ne t'en fais pas, j'expliquerai ça à ta fille, elle est intelligente, elle va comprendre. »

C'était ça, le pire. Il avait écrit « TA fille ». Pas « ma fille », ni « notre fille ». Ce pronom possessif, deuxième personne du singulier, m'expulsait de ma nouvelle vie avec la puissance d'un obus.

Quelques jours plus tard, le facteur apporta un petit paquet à mon nom. Dedans, il y avait une écharpe de soie avec des scènes de Jérusalem. Le genre de cadeau que l'on achète dans les boutiques hors taxe des aéroports quand on a du temps à tuer et qu'on ne sait vraiment plus quoi faire. Il y avait aussi, écrit au stylo feutre sur du papier à carreaux, un mot de Charles.

« Chère Fanny, disait-il, j'ai été très ému par notre rencontre. Je suis fier d'être le père d'une belle grande fille comme toi. Malheureusement, des circonstances indépendantes de ma volonté ne me permettent pas d'établir une vraie relation de père avec toi, je suis sûr que tu me comprendras. Un vrai père, ce n'est pas seulement celui qui conçoit un enfant, c'est aussi celui qui s'en occupe. Je n'ai pas eu cette chance avec toi, mais je garde précieusement au fond de mon cœur le souvenir de notre rencontre. »

C'était signé : « Ton père qui regrette de ne pas avoir pu te donner davantage. »

Tout y était. Adroitement, Charles avait verrouillé toutes les portes, en se présentant néanmoins comme un homme sensible, aimant, chaleureux.

Il regrettait, mais ne me laissait aucune chance de le délivrer de ses regrets. Il n'y avait donc aucun espace en creux, aucune place pour moi dans la grande maison en face du parc. D'un trait, il m'avait rayée de son univers, pour s'en aller sauver sa famille et ses petits voyous.

Je pliai le foulard qui, par son manque de goût, me réconciliait déjà avec ce rejet. Cela valait-il la peine d'être liée à un homme qui pensait mieux faire passer sa décision en m'offrant un carré de soie impersonnel, orné d'une mosquée et du mur des Lamentations?

Je mis le foulard dans une enveloppe, que je scellai avant d'y inscrire le nom de Marie-Ève, la fille au violon, celle qui avait une fossette sur la joue droite, celle qui aurait pu devenir ma sœur.

Je cherchai des timbres dans les tiroirs de maman, puis je téléphonai à Sara et je lui demandai si je pouvais passer chez elle pour étudier la matière de notre prochain examen de géographie. « Si tu veux, tu souperas avec nous, on louera un film », proposa-t-elle.

En sortant de chez moi, je me rappelai que j'avais oublié de mettre la lasagne au four. Tant pis, maman s'en occuperait à son arrivée. Franchement, je ne lui devais rien. Je ne devais plus rien à personne. En allant chez Sara, je glissai la grande enveloppe brune dans la boîte aux lettres au coin de la rue.

Des nouvelles de la haine

L'enveloppe glissa d'un vieux guide de voyage coincé derrière une rangée de biographies, sur la dernière étagère de la bibliothèque.

Bill Clinton, Mikhaïl Gorbatchev, Ariel Sharon, Slobodan Milosevic, Yasser Arafat, Benazir Bhutto : l'histoire des deux dernières décennies du XXe siècle défilait entre les mains de Christine, qui regardait distraitement les titres avant de placer les livres dans la boîte en carton, pour le déménagement.

Les petits avec les petits, les gros avec les gros, se disait-elle, soucieuse d'utiliser l'espace avec un maximum d'efficacité. Le camion devait arriver le lendemain matin ; Christine craignait de manquer de boîtes, et il y avait encore tant de choses à emballer. Elle allait passer la nuit à vider l'appartement, autrement elle n'y arriverait jamais. Comment avait-elle fait pour amasser tous ces objets ?

Le mieux était d'y aller systématiquement, du plafond jusqu'au plancher. Elle venait de s'attaquer à la plus haute étagère quand elle vit apparaître ce vieux guide des Balkans, posé de travers derrière les biographies de personnages qui appartenaient à un passé de plus en plus lointain. « Gorba qui ? » lui avait demandé sa nièce de dix-neuf ans quand elle était passée prendre un café, quelques semaines plus tôt. Elle venait tout juste de faire son inscription à l'université, en histoire…

Le volume était donc là, immobilisé entre le meuble et le mur, et une fine couche de poussière recouvrait sa page couverture écornée. Christine se hissa sur la pointe des pieds, sentit l'escabeau bouger sous elle, chercha un point d'équilibre pour extirper le livre de son recoin. Quand elle y parvint, son corps vacilla, projeté vers l'arrière, et elle retint le livre de justesse, par l'extrémité de la couverture cartonnée. Les pages s'ouvrirent et une enveloppe couverte d'une écriture fine tournoya jusqu'au plancher.

Christine s'essuya le front, descendit de l'escabeau et ramassa l'enveloppe. Elle était bien à son nom, envoyée à une ancienne adresse. Les lettres étaient calligraphiées avec soin, presque trop parfaites, avec des pleins et des déliés, comme si elles avaient été tracées par une élève appliquée. Il y avait tant d'années qu'elle n'avait pas reçu de vraie lettre — cet objet matériel qui atteint son destinataire en se déplaçant physiquement dans l'espace, au lieu d'apparaître instantanément sur l'écran de votre ordinateur. Elle sourit intérieurement : le monde avait tellement changé. Et parfois, Christine avait le sentiment d'avoir mille ans.

Elle regarda sa montre : il était presque seize heures. Comment ferait-elle pour finir d'empaqueter ses affaires à temps pour l'arrivée des déménageurs ?

Elle se dirigea vers la cuisine, fouilla dans le réfrigérateur, écarta un morceau de cheddar moisi et un yogourt périmé, attrapa une bouteille de bière et la décapsula, appuyée contre le comptoir. Un jet vaporeux s'échappa du goulot et traça une traînée de bruine dans l'air.

L'enveloppe ne lui rappelait rien, n'évoquait aucun souvenir précis, si ce n'est la nostalgie d'une époque où l'on recevait de longues lettres qui avaient été écrites à la main sur des feuilles de papier, plusieurs jours, et parfois plusieurs semaines, avant d'échouer à notre porte.

Elle observa les timbres qui avaient été oblitérés par des tampons prétentieux, pleins de fioritures. Le nom qui apparaissait dans le triangle de l'expéditeur, au verso, ne lui disait rien non plus. De toute façon, il était écrit en caractères cyrilliques, qu'elle avait oubliés, depuis le temps.

Elle prit une gorgée, ferma les yeux et laissa la bière couler dans sa gorge. Quand elle revint à l'enveloppe, elle remarqua que celle-ci avait déjà été décachetée. À l'intérieur, elle trouva deux feuilles minces, noircies par la même écriture soignée, et pliées d'une façon asymétrique. L'auteur de la lettre s'adressait à Christine, en anglais, avec des fautes ici et là, mais pas trop.

« *Dear Kristin* », commençait la lettre… Au bout du troisième paragraphe, Christine se souvint. De tout.

* * *

L'Alfa Romeo blanche avait quitté Zagreb le matin, très tôt. L'Américain tenait le volant, le Hollandais avait reculé au maximum le siège du passager pour pouvoir étirer ses longues jambes, sans égard pour Christine, coincée sur le siège arrière entre un journaliste japonais et Maria, l'interprète.

Il y avait dix jours qu'ils travaillaient ensemble. L'Américain était un pigiste de Boston, le Hollandais collaborait avec un hebdomadaire d'Amsterdam, et Christine ne parvenait pas à comprendre pour qui au juste travaillait le Japonais, en raison de son anglais approximatif.

Leur association était essentiellement pratique : ils devaient partager les frais. La guerre était devenue la principale industrie de ce pays disloqué où les chambres d'hôtels, les interprètes et les voitures de location coûtaient une fortune. Tous savaient que les journalistes n'avaient pas le choix.

Christine trouvait l'Américain arrogant, il ne faisait pas le moindre effort pour dire ne serait-ce qu'un mot dans la langue locale, pas même un petit *hvala* — merci. Quand ils s'arrêtaient dans des bouibouis de villages, il se moquait des serveuses parce qu'elles ne parlaient pas anglais, levait le nez sur les feuilles de vigne farcies et les poivrons grillés, exprimait tout haut ses fantasmes de pizza et de hamburgers. C'était exaspérant.

Le Hollandais, lui, parlait peu, et, quand il ouvrait la bouche, c'était presque toujours pour suggérer qu'ils avaient pris la mauvaise décision, qu'ils auraient peut-être dû aller ailleurs, à Banja Luka, à Zenica ou à Vukovar. Il était constamment torturé par le sentiment de ne pas être au bon endroit, au bon moment, et de rater ainsi le reportage de sa vie.

Il prenait des photos, aussi, et à tout bout de champ il leur demandait d'arrêter l'auto pour fixer l'image d'une maison détruite, d'une auto renversée ou d'un paysan à la peau ravinée. Il changeait d'angle, s'agenouillait sur le sol ou grimpait sur quelque muret, ça n'en finissait plus.

Le Japonais, lui, se contentait de demander : « *This is safe? Safe?* »

Mais l'Américain offrait l'auto — il l'avait louée à Trieste, en Italie —, Christine fournissait l'interprète et, à eux quatre, ils réussissaient à réduire considérablement leurs frais, ce qui leur permettait de convaincre leurs rédactions respectives de les laisser continuer à faire leurs reportages. Ils mirent donc en commun tout ce qu'ils avaient, y compris leurs angoisses et leurs manies. L'arrangement n'était pas idéal, mais il faisait l'affaire de tout le monde.

Ils se rencontraient tous les matins, vers six heures, dans le restaurant de l'hôtel, buvaient leur café brûlant à petites gorgées et discutaient de leur destination du jour. Parfois, c'était l'endroit où le Hollandais regrettait de ne pas être allé la veille — il n'en finirait pas moins par trouver qu'ils s'étaient trompés, une fois de plus.

Maria, qui passait ses nuits à écouter la radio, à parler avec des collègues et à colliger les dernières nouvelles, leur suggérait parfois un village récemment apaisé, ou tel autre où une explosion semblait imminente. Alors ils partaient, et revenaient tard dans la soirée pour s'enfermer dans leurs chambres d'hôtel et écrire leurs articles.

Au fil des jours, Christine comprit qu'en fait elle avait plus en commun avec ses compagnons qu'elle ne l'avait cru au premier abord. Que ce qu'ils partageaient ne tenait pas seulement au fait de ne pas travailler pour de grands médias qui auraient payé leurs frais sans rechigner. Mais aussi à leur entente tacite sur le choix de leurs sujets.

Tous les quatre semblaient préférer tourner autour de la guerre, plutôt que de plonger dedans. Au cours de leurs reportages, ils recueillaient des témoignages poignants, mais ils se retrouvaient rarement au milieu des tirs et des bombes — au cœur de l'action, comme disaient les autres reporters qu'ils croisaient au bar de l'hôtel, tard dans la nuit, après avoir envoyé leurs papiers.

Tous les quatre cherchaient d'abord et avant tout à comprendre les raisons qui avaient fait basculer la Yougoslavie dans une rage meurtrière que personne n'aurait pu imaginer, à peine deux ans plus tôt. Ils voulaient savoir ce que pensaient les Serbes, les Croates ou les Musulmans bosniaques, décortiquer la construction de la haine.

La Yougoslavie, ce sont six républiques, cinq nations, quatre langues, trois religions, deux alphabets et un seul parti, affirmait le slogan de l'époque du maréchal Tito. Toutes ces différences avaient maintenant implosé en un maelström où, comme dans un mauvais couple, l'Autre était responsable de tous les maux.

Christine et ses compagnons n'étaient pas vraiment à l'affût de la dernière bataille. Et ils aimaient croire que c'était parce qu'ils ne carburaient pas à l'euphorie de l'adrénaline. Qu'ils étaient motivés, eux, par une recherche plus profonde. Mais dans leur for intérieur, ils soupçonnaient, sans trop oser se l'avouer, qu'ils étaient aussi mus par une autre raison : la peur.

Depuis son arrivée dans ce pays qui n'existait plus, Christine avait le sentiment de décrire des cercles concentriques autour d'une réalité qui ne cessait de lui échapper. Plus elle s'en approchait, moins elle comprenait. À Zagreb et à Belgrade, quand elle travaillait encore en solo, elle s'était souvent étonnée de marcher dans des rues calmes, lumineuses, bordées de terrasses où l'on servait un café odorant et sucré. La guerre ? Mais où ça ?

Des jeunes discutaient devant un verre de slivovitz, des couples s'alanguissaient sur les terrasses, rien ne les différenciait des jeunes et des couples qui s'attardent dans les cafés de Montréal.

Et puis, tout à coup, au détour d'une conversation, tombaient des mots gonflés de rage, des informations pigées on ne sait où et censées justifier les pires exactions. Des histoires qui semblaient hantées par de mauvais esprits et des diables cornus, comme au Moyen Âge.

Mais tu ne savais pas, toi, que les dirigeants croates font le salut hitlérien tous les matins, quand ils se rencontrent? que les Musulmans bosniaques ont enfermé des centaines de filles serbes à la gare de Sarajevo, qu'ils ont transformée en un immense bordel? que des Serbes donnent les enfants bosniaques à manger aux animaux du zoo?

Mais d'où tenez-vous donc tout ça? demandait Christine. Ils l'avaient lu dans un journal, ou entendu à la radio, ou appris de quelqu'un qui l'avait lu dans un journal ou entendu à la radio. Ou alors l'information venait du frère du copain de la cousine, qui l'avait de première main, lui qui revenait justement du front.

La facilité avec laquelle la conversation la plus policée, autour d'un plateau de petits fours, pouvait se transformer en un conte sordide, avec des sorcières et des ogres, créait un univers schizophrénique et fascinant.

Peu après son arrivée à Zagreb, Christine avait rencontré un écrivain croate qui vivait dans un appartement feutré, avec des rideaux de velours, des tasses de porcelaine et des sofas moelleux. L'homme citait des auteurs contemporains français, et même un ou deux Québécois dont Christine n'avait jamais entendu parler, si bien qu'elle eut un peu honte. Puis le regard de ce fin lettré se mit à lancer des éclairs, sa voix tonna.

Il fallait sortir jusqu'au dernier Serbe de la Croatie, ces gens se croyaient tout permis, mais leurs droits, ils les avaient volés, ils ne les méritaient pas, ce sont des orthodoxes, une religion rétrograde, tout ça, c'est à cause de l'héritage ottoman, ce sont des Turcs, des parasites, des paresseux.

Quelques jours plus tôt, à Belgrade, dans un cabinet rempli d'encyclopédies et de traités de grands philosophes, elle avait vécu une rencontre semblable : la Serbie est la république yougoslave la plus pauvre, ils nous prennent ce qu'on a de meilleur et ne nous donnent rien en retour, pire que ça, ils veulent partir avec le magot, et pour ça ils sont prêts à tout, ils attaquent nos frères en Croatie, en Bosnie, que voulez-vous que l'on fasse, nous devons les défendre. D'ailleurs, ces Croates sont en vérité des oustachis, des nazis. Et les Bosniaques ? Des violeurs, pire, des Arabes. L'autre jour, à la télévision, j'ai vu pleurer un homme, un Serbe, dont la fille venait d'être agressée par un gang de Musulmans. Des bêtes, je vous dis.

Chacune de ces conversations commençait par la même entrée en matière : vous savez, mon beau-frère (ou mon cousin, ma belle-mère, mon voisin, mon ami) est croate, ou serbe, nous nous sommes toujours bien entendus, et puis quoi ? Du jour au lendemain, ils arrivent avec des fusils et ils tirent sur leurs voisins.

Christine essayait de comprendre. Qu'y avait-il de particulier, dans ce pays, pour que les démons qui s'agitaient sous le vernis de la culture et de la modernité aient pu s'échapper de leur boîte et prendre le contrôle de l'Histoire ? Quelles conditions particulières étaient donc requises pour leur permettre de faire ainsi sauter le couvercle ? Est-ce que ces conditions existaient ailleurs ? Chez elle ?

Christine avait posé la question à un jeune journaliste serbe qui travaillait pour l'unique chaîne de télévision indépendante de Belgrade. C'est une affaire d'information, avait-il avancé. Quelques mois plus tôt, des étudiants avaient manifesté dans cette ville pour protester contre le pouvoir.

« À Belgrade, les gens savaient qui nous étions et ce que nous demandions, expliqua le journaliste. Ils avaient accès à des nouvelles non officielles. Pas ma mère, qui vit à la campagne. Elle n'a que la télé d'État. Et quand on voit tous les jours, à l'écran, des pères pleurer le viol de leur fille, c'est difficile de rester objectif. »

N'empêche, pensait Christine. Est-ce qu'une telle manipulation pourrait fonctionner chez nous ? Est-ce que MOI, je pourrais y succomber ?

C'est ce journaliste qui avait donné à Christine le numéro de téléphone de Maria, à Zagreb. À l'époque, l'autoroute qui relie les deux villes était barricadée. Christine dut donc prendre l'autobus qui permettait de rejoindre la Serbie en passant par la Hongrie, au nord.

Elle observa longuement les passagers dans le véhicule : impossible de distinguer les Serbes des Croates. Sauf s'ils avaient un livre ou un journal. Les Serbes lisaient des imprimés en caractères cyrilliques, les Croates avaient les leurs en alphabet latin. Les uns lançaient aux autres des regards sombres.

Une femme, remarqua Christine, avait plié et replié son journal tant de fois qu'il était impossible de deviner, de loin, dans quel alphabet il était imprimé. Elle se contorsionnait pour cacher les pages de la publication et les soustraire au regard des autres passagers.

L'autobus s'arrêta à plusieurs postes de contrôle,

d'abord en Serbie, où ils poireautèrent pendant de longues heures, sans explication. Les passagers descendirent de l'autobus et se mêlèrent aux autres voyageurs, qui tuaient le temps comme ils le pouvaient.

Assis sur des blocs de ciment, des hommes buvaient dans de grands verres un alcool translucide. Ils abordèrent Christine et se présentèrent comme des *businessmen*. Ils allaient chercher de l'essence en Hongrie pour l'écouler dans les stations serbes.

Le trafiquant le plus communicatif arborait deux dents en or et portait un anneau argenté à l'oreille. Les hommes offrirent un verre à Christine. « *It's good, try it.* » Elle joua — et perdit — quelques parties de backgammon avec eux, se contenta de tremper ses lèvres dans l'alcool. Elle se sentait toujours très loin de la guerre.

À la frontière croate, un contrôleur traversa l'autobus pour vérifier les passeports. Une jeune femme, la tête couverte d'un fichu fleuri, lui tendit ses papiers en désignant le petit garçon pâle de sept ou huit ans qui était assis à ses côtés. Étaient-ils serbes ? croates ? musulmans ? Impossible de deviner.

Christine vit le contrôleur remettre les documents à la femme en lui ordonnant de quitter le véhicule, dans le langage international des gestes : par ici, tout de suite. Elle prit sa valise et se dirigea vers la sortie, le corps secoué par les sanglots. Le garçon la suivit, l'air hébété. Les autres passagers détournèrent la tête. Puis l'autobus se remit en marche et Christine vit les deux silhouettes rapetisser dans la lunette arrière…

Je dois finir mes boîtes, pensa Christine, mais elle déboucha une deuxième bière, qui gicla en laissant un peu de mousse cascader sur sa main. Elle l'essuya sur son t-shirt.

Elle était maintenant submergée par tous ces souvenirs : l'autobus étrangement silencieux, le jeu de backgammon avec l'homme aux incisives dorées, la femme avec le petit garçon sanglotant à la frontière, les passagers qui s'enfoncent dans leur siège pour lire à l'abri des regards.

Christine reprit la lettre tombée du guide de voyage qui avait passé toutes ces années caché derrière la plus haute étagère de sa bibliothèque. Comment donc s'était-elle retrouvée là, tant d'années et de nombreux déménagements plus tard ? Elle examina l'écriture léchée, les tampons luxuriants. De nouvelles images s'échappaient de l'enveloppe, comme le gaz carbonique qui venait de s'envoler de sa bouteille en faisant « pffiit »...

« Je suis libre cette semaine, et la semaine suivante peut-être aussi », annonça Maria lorsque Christine fit sa connaissance dans le hall de l'unique hôtel où elle avait réussi à trouver une chambre libre, après avoir âprement négocié le prix à la réception.

Le soir même, Maria l'invita à manger chez elle, dans l'appartement de deux pièces qu'elle partageait avec sa mère. À un moment, le téléphone sonna, et Maria fit : « *Really ?* Vraiment ? Où ça ? »

Puis elle raccrocha et se tourna vers Christine. Maria venait de parler avec un correspondant pour qui elle avait travaillé, quelques jours plus tôt. Il venait d'arriver quelque part à la frontière entre la Croatie et la Bosnie, et il était tout excité par le pilonnage : « Ils tirent ! Ils tirent ! C'est génial ! » Il avait même décollé le combiné de son oreille pour que Maria puisse entendre la pétarade d'obus, semblable au crépitement d'un feu d'artifice.

Maria piqua sa fourchette dans une cuisse de poulet et dit d'un ton las : « Il s'amuse comme un fou, mais c'est mon pays qu'on détruit. » Christine l'aima sur-le-champ.

Quelques jours plus tard, ils partirent donc tous les cinq, Christine, Maria et les trois autres, munis de leurs laissez-passer pour les *checkpoints,* de leurs casques de protection et de leurs gilets pare-balles. Le premier jour, ils s'engagèrent sur l'autoroute condamnée et roulèrent vers l'est, en direction de Belgrade. Exception faite d'un convoi de l'ONU, ils ne croisèrent aucun véhicule sur la voie rapide.

À un moment, l'Américain voulut tester l'Alfa Romeo rutilante et fit monter l'aiguille de l'indicateur de vitesse jusqu'à deux cents kilomètres à l'heure.

Il joua avec les postes de radio et tomba sur une chanson de Sting. Ils se mirent tous à chanter : « *Oh-oh, like an Englishman in New York.* » Le toit ouvert laissait entrer une odeur tiède d'asphalte et d'herbe humide. Ils se sentirent euphoriques.

Cette première journée, ils visitèrent, en Croatie, une bourgade serbe dont les habitants se plaignaient du sort que leur avaient fait subir leurs voisins croates.

« Dès que la Croatie a déclaré son indépendance, nous avons commencé à perdre nos emplois, les uns après les autres », se plaignaient-ils.

« Nous aurions dû aller à Banja Luka », regretta le Hollandais. C'était une ville contrôlée par les Serbes de Bosnie, qui, disait-on, faisaient la vie dure aux Musulmans.

Ils y allèrent le surlendemain. Ils espéraient rencontrer des dirigeants serbes, mais se retrouvèrent plutôt face à face avec un porte-parole au visage fermé, qui s'exprimait avec hostilité dans sa langue de bois.

« Journée ratée », dit le Hollandais, qui proposa une autre destination pour le lendemain, puis passa une heure à photographier des Casques bleus à un point de contrôle. « J'ai faim, maugréa l'Américain, je meurs d'envie de manger un hamburger.

— *What he say ?* » demanda le Japonais. Christine et Maria se regardèrent et pouffèrent de rire.

C'est fou comme on pouvait rire, parfois, se rappela Christine en fouillant dans ses souvenirs, à la recherche des noms des villages qu'ils avaient visités en rafale, jour après jour, avec leur auto flamboyante, leurs questions insistantes et leur allure d'extraterrestres. Mais ils étaient enfouis dans sa mémoire, sous les noms d'autres villages, déchirés par d'autres guerres, dans d'autres coins du monde.

Ah oui, il y avait eu cette ville bosniaque, enclave musulmane avec ses maisons entourées de sacs de sable, ses fenêtres bouchées par des panneaux de contreplaqué et sa place centrale où des hommes sirotaient leur bière et jouaient aux dés en attendant — en attendant quoi, au juste?

Christine revit aussi ce hameau désert, en Croatie, où elle avait compris pour la première fois l'expression « un silence de mort ». Il n'y avait aucun bruit, pas de vaches qui meuglent, pas de corneilles qui croassent, aucun bruit de moteur non plus, de scie mécanique ou de tracteur. Pas le moindre frétillement de vie. Que cet air stagnant, épais, étouffant.

Quelques maisons pointaient vers le ciel leurs moignons noircis. Derrière une grange brûlée, la carcasse desséchée d'un cheval — ou était-ce un âne? Des fenêtres fracassées, un tracteur couché sur le côté, une auto au pare-brise criblé de balles, dépouillée de toutes les pièces utilisables: plus de radio, plus de volant, même plus de pneus, seulement ses jantes rouillées et tordues, exposées comme le flanc d'un animal mort.

Ils garèrent l'Alfa Romeo en bordure du chemin qui traversait ce village immobile, dont l'entrée était indiquée par un panneau routier barré d'un graffiti. Ils marchèrent lentement, presque sur la pointe des pieds, comme s'ils craignaient de rompre le silence et de déclencher ainsi quelque bruyante calamité. Toutes les maisons portaient des traces de balles. Toutes sauf une, d'où ils virent émerger un vieillard courbé, qui se dirigea vers eux en s'appuyant sur sa canne.

« Il dit qu'il est seul au village, qu'il n'y a plus personne ici, expliqua Maria. Ils sont venus de là-bas » — l'homme montra du doigt les collines derrière le village —, « ils avaient des armes, ils ont tout pris, les chevaux, les vaches, les poules. Le village avait été averti de l'attaque, on avait distribué des fusils aux hommes et aux garçons.

— Qui ça, "on"? » demanda Christine. L'homme répondit qu'il ne le savait pas : c'étaient des gars dans des camions. À la fin, il n'y a pas eu de bataille, tout le monde avait fui dans la nuit, ils sont sûrement dans la forêt, dans les collines, avec leurs armes.

Oui, tout le monde était parti, sauf le vieux, qui avait passé trois jours couché sous son lit, terrifié. Il avait entendu des bruits de pas dans sa cour, des voix d'hommes, des cris d'animaux, SES animaux. Puis les sons s'étaient éloignés, et le village s'était enfoncé dans le silence. Un silence de mort.

« C'est un veuf, dit encore Maria, il n'a presque plus rien à manger, plus de poules, plus de vaches. Il faudrait l'aider, lui donner quelque chose. » Ils fouillèrent dans leurs sacs à dos, lui laissèrent quelques pommes, un sandwich, une boîte de biscottes, des barres de chocolat. « *Hvala* », merci, balbutia l'homme. Il gardait la tête baissée et fixait ses pieds, comme s'il avait honte.

Le Hollandais demanda au paysan de se placer devant sa maison et prit une bonne vingtaine de photos. Puis l'Alfa Romeo les emporta, tous les cinq, et le vieil homme disparut dans un nuage de poussière.

Il y eut cet autre village croate où les combats avaient à l'époque cédé la place à un calme tendu, explosif, tandis que la Bosnie, elle, flambait de toutes parts. Avant la guerre, ce village était peuplé de Serbes et de Croates qui vivaient ensemble dans un voisinage plutôt harmonieux. Désormais, ils habitaient des quartiers séparés. Et des Casques bleus surveillaient le *checkpoint* où les membres d'une même famille pouvaient se rencontrer une fois par semaine…

Il me semble que c'était le jeudi, à midi, pensa Christine, qui s'étonnait de se rappeler ce petit détail, mais d'avoir oublié tous les noms. Ceux des lieux. Et ceux des gens. Elle fouillait maintenant dans une vieille boîte à lait, à la recherche de photos de cet ancien reportage. Profitant des séances photographiques du Hollandais, elle avait pris, elle aussi, quelques clichés, mais où étaient-ils donc passés? Ah, tiens, les voici, les quatre journalistes, devant cette incroyable Alfa Romeo, c'est Maria qui avait dû prendre la photo…

Maria, qui leur expliquait patiemment toutes les subtilités de ce pays; une seule fois Christine l'avait-elle vue s'impatienter. «C'est comme ça, les Balkans, avait dit un jour l'Américain, alors qu'ils traversaient d'autres villages, avec d'autres vieux abandonnés au milieu des ruines.

— Ce n'est pas *nécessairement* comme ça, protesta Maria. La guerre n'est pas une fatalité, c'est le résultat de quelque chose, d'un processus, d'une politique, nous ne sommes pas génétiquement programmés pour nous entretuer, nous ne sommes pas plus irrationnels que les Canadiens, ou les Hollandais. Nous ne sommes pas différents de vous!

— Hum », fit l'Américain, pas convaincu. Puis ils plongèrent dans leurs calepins pour relire leurs notes et penser à leurs articles.

Cette nuit-là, Christine se coucha tard, incapable de s'endormir. Maria aurait pu être l'amie avec laquelle on prend des vacances au bord de la mer, chez qui on débarque au milieu de la nuit quand on a le cœur gros, ou avec qui on fait des muffins en partageant une bouteille de rosé. Mais Maria était engluée, malgré elle, dans ce conflit sordide. Et nous, les journalistes, nous la réduisons à ça, nous la confinons dans ce rôle : notre guide dans ce pays de gnomes malfaisants, pensait Christine.

Le lendemain matin, elle avala trois cafés et regarda fixement le paysage qui se brouillait derrière les vitres de l'Alfa Romeo. Elle ne se réveilla vraiment qu'à un point de contrôle gardé par un contingent de Casques bleus bangladais. « La route est-elle sûre ? » demandèrent-ils en indiquant la chaussée qui s'enfonçait dans une forêt sombre. « Oui », répondit le soldat. « Est-ce dangereux ? » vérifièrent-ils. « Oui », répéta le militaire.

Ils éclatèrent de rire — il n'y avait aucune conclusion à tirer de ces indications — et s'engagèrent sur cette route ombragée, silencieuse, les menant plus loin vers le sud, au cœur de la Bosnie, à travers une série de barrages routiers et de *checkpoints*.

Maintenant, Christine ne dormait plus du tout : ils entendaient des explosions lointaines et voyaient s'élever des colonnes de fumée noire entre les collines. Cette fois, ils s'approchaient du cœur du conflit. Ce n'était pas ce qu'ils avaient prévu, mais aucun d'eux ne voulait prendre l'initiative de rebrousser chemin.

Alors, ils continuèrent jusqu'à ce village… comment s'appelait-il donc?

Christine reposa la bouteille de bière et regarda attentivement l'enveloppe bleue tombée de son vieux guide touristique des Balkans. Oui, c'est ça, c'était probablement dans ce village dont elle déchiffrait péniblement le nom au verso de l'enveloppe qu'ils s'étaient rendus, ce jour-là.

Des gamins ramassaient des morceaux de bois à l'entrée du hameau. L'Alfa Romeo les dépassa, s'arrêta brusquement et recula. Maria discuta avec les enfants, puis traduisit : il y avait eu plusieurs bombardements dans la région, des milices serbes avaient dévalisé les villages voisins. « Leurs habitants se sont réfugiés ici, ce village déborde, il y a des gens partout, ils ont monté des abris avec des bâches dans le parc, juste là, devant la mairie. »

Ça valait la peine de s'attarder ici, décidèrent-ils. Christine hésita avant de mettre le lourd gilet pare-balles : de quoi auraient-ils l'air, parmi tous ces gens qui n'en portaient pas? Elle l'enfila quand même, comme les autres, sauf Maria, qui n'en avait pas. Puis ils attrapèrent leurs calepins et se dirigèrent vers la place centrale.

Ils passèrent la journée à parler avec les réfugiés, qui leur racontaient les villages attaqués à l'aube par des milices armées, les hommes que l'on emmène dans des camions, les bébés qui s'accrochent au corps de leur mère assassinée.

La guerre maintenant était là, dans les yeux cernés

de ces rescapés, dans ce parc où des femmes tentaient de faire chauffer de l'eau dans des boîtes de conserve, dans le dispensaire où une organisation humanitaire soignait les blessés. Et toujours ce grondement d'orage, ce ciel strié de noir. Christine se sentit loin, très loin des cafés chics de Zagreb.

Tard dans l'après-midi, ils quittèrent la place centrale pour se diriger vers l'extrémité du village, à travers des ruelles de terre battue qui descendaient vers les champs. Quand ils émergèrent de la dernière rangée de maisons, ils s'arrêtèrent pour regarder les collines, au loin. Un des garçons qu'ils avaient croisés à leur arrivée les accompagnait et récitait les noms des villages au-dessus desquels flottaient des nuages noirs comme des vautours.

« *Look!* » dit soudain l'Américain. Les collines semblaient bouillonner, leur surface était animée d'une sorte de frémissement, on aurait dit d'immenses fourmilières. Puis Christine distingua des formes humaines dans cette agitation : c'étaient de nouveaux réfugiés qui affluaient vers le village, en tirant ou en poussant des charrettes remplies de paquets. Où dormiraient donc tous ces gens ?

Ils laissèrent le village derrière eux et suivirent un sentier qui pénétrait dans un boisé, où ils eurent l'impression d'entendre une sorte de battement, comme le bruit régulier d'un marteau qui frappe un clou. « Moi, je rentre », lança le petit garçon, puis il leur tourna le dos et courut vers le village.

« Allons voir ce qu'il y a là-bas », suggéra le Hollandais. Ils se dirigèrent vers la lueur d'une clairière, et c'est alors qu'ils la virent : une femme sans âge, vêtue d'une robe ample et tachée, qui clouait des planches sur le mur d'une maison, au milieu de la forêt.

Tac, tac, tac. L'écho des coups de marteau rebondissait entre les arbres. La femme les entendit venir, se tourna vers eux et, instinctivement, brandit l'outil au-dessus de sa tête, menaçante. Puis elle enleva de sa main libre le clou qu'elle tenait entre ses lèvres et resta ainsi, immobile, prête à se défendre.

Maria présenta le groupe, expliqua qui ils étaient, la femme vit les appareils photo, les gilets pare-balles, les calepins. Elle baissa le bras et posa son marteau sur l'établi qui lui servait à scier ses lattes. Elle cracha dans ses mains, les essuya sur un pan de sa robe et leur fit signe de s'asseoir. Elle n'avait plus de café, mais elle pouvait leur offrir une infusion, des fleurs qu'elle cueillait ici, autour de la maison. Peut-être aimeraient-ils entrer chez elle ?

« C'est la deuxième fois qu'elle reconstruit sa maison », expliqua Maria, plus tard, alors qu'ils étaient assis à l'intérieur, près du poêle à bois, avec les tasses ébréchées qui leur brûlaient les mains.

À un moment, cette cabane de trois pièces, isolée au milieu des bois, s'était retrouvée sur la ligne de front, entre des milices serbes et des combattants bosniaques. Pour Christine, une ligne de front évoquait des images de films de guerre qu'elle avait vus au cinéma : des soldats dans des tranchées, un vaste champ vide, parsemé de mines, survolé par des obus.

Mais ici, c'était beaucoup moins grandiose. En fait, les combattants s'arrachaient ce coin de forêt d'où il était possible de lancer une offensive contre les villages musulmans, sur les flancs des collines. Et la maison dans la clairière avait le malheur de se trouver sur leur chemin.

Un obus était tombé juste là : la femme montra un pan de mur latéral où du bois noirci émergeait sous les lattes neuves. Puis les tirs avaient cessé : les miliciens serbes s'étaient finalement regroupés là-bas, de l'autre côté des montagnes, où ils avaient rejoint un de leurs chefs.

Patiemment, la femme avait réparé sa maison, brossé les planches brûlées, bouché les trous avec de la terre et des planches neuves. Quelques semaines plus tard, des gars en tenue de camouflage avaient débarqué au milieu de la nuit. Ils avaient cassé les fenêtres de la maison, défoncé la porte, saccagé la cuisine, arraché les planches des murs pour allumer un feu dans la cour.

Et elle, alors ? Ils ne lui avaient fait aucun mal ? Non, elle avait eu le temps de se cacher dans la cave. Les miliciens avaient vidé sa réserve d'alcool et étaient repartis à l'aube, laissant derrière eux sa maison ravagée. De nouveau, la femme avait repris sa scie et son marteau.

Des hommes passent et saccagent tout, des femmes réparent inlassablement leurs dégâts, pensa Christine en se disant que c'était une image forte de cette guerre, et sans doute aussi de plusieurs autres.

Au loin, le grondement s'intensifiait. Par les volets

ouverts, ils sentirent l'odeur âcre de la fumée et du bois brûlé. Dehors, les branches des pins filtraient la lueur orangée du soleil déclinant.

« Je n'aime pas cet endroit, on devrait rentrer à Zagreb, suggéra l'Américain.

— À mon avis, il est dangereux de prendre la route maintenant, on devrait passer la nuit ici », répondit Maria.

Elle discuta avec la femme pendant quelques minutes, puis se tourna vers les journalistes. « Elle nous offre de passer la nuit ici. Derrière la maison, il y a une sorte de véranda, on pourrait dormir là, par terre, elle a assez de couvertures pour nous tous.

— Pas question que je reste ici, dit l'Américain, c'est trop dangereux, puis je dois envoyer un papier cette nuit. » Le Japonais et le Hollandais préféraient rentrer, eux aussi.

« Moi, je reste, trancha Maria, je refuse de prendre ce genre de risque. »

Christine hésita, puis elle dit : « Moi aussi, je reste, vous devriez vous fier à l'instinct de Maria, elle connaît la situation. »

L'Américain regarda les deux autres, le Japonais mordillait ses lèvres, le Hollandais triturait la courroie de son appareil photo. Jusqu'à maintenant, nous ne nous sommes encore jamais séparés, pensa Christine. Ils se levèrent, reposèrent leurs tasses, dirent *thank you very much* et se dirigèrent vers le vestibule.

Avant le franchir le seuil, l'Américain se tourna vers Christine : « *Please, come with us.* » Elle regarda

Maria, puis l'Américain, mais elle répondit : « Non. Bonne route. *Take care.* » La porte claqua derrière eux. Impossible de savoir si elle avait pris la bonne décision, mais maintenant Christine n'avait plus le choix.

La femme fouilla dans la cuisine, mit une casserole sur le feu. Elle y lança des cubes de bouillon, des pommes de terre, des carottes et de grosses fèves qui ressemblaient à des gourganes. Puis elle ajouta quelques champignons qui séchaient sur le poêle. Tout en pelant les légumes, elle discutait vivement avec Maria.

Celle-ci expliqua, en anglais : « Elle refuse qu'on la paie pour notre hébergement.

— Ne discute plus, nous laisserons l'argent demain, qu'elle le veuille ou non », suggéra Christine.

Maintenant, elles étaient trois femmes, au milieu de la forêt, pendant la guerre. À un moment, Christine sentit un frisson sur sa nuque : qu'est-ce qu'elle faisait donc là ? Pourquoi n'était-elle pas à la maison, en train de suivre les nouvelles à la télévision, avec une assiette de charcuteries, une salade de chèvre chaud et un bon verre de brouilly ?

Puis le frisson se dissipa dans l'odeur de la soupe et la chaleur du poêle à bois. Dehors, le feu d'artifice faiblit, la nuit tomba, et la femme ferma les volets. Elle ouvrit l'armoire de la cuisine, s'apprêta à mettre les couverts, puis suspendit son geste, s'immobilisa. Elle regarda Christine et Maria, puis se tourna vers l'armoire, et ainsi de suite, en silence, plusieurs fois.

« C'est quoi, le problème ? » demanda Christine.

Maria ne le savait pas. Elles ne dirent rien, pendant de longues minutes. Puis la femme mit quatre couverts sur la table. Et elle parla.

Elle était musulmane, mariée avec un Serbe, ils vivaient avec leurs trois enfants à Sarajevo, à l'époque toutes ces différences ne comptaient pas. Mais un jour, un homme tira sur des gens, dans une noce, et tout explosa. « Nous avons décidé de nous réfugier ici, près de ce village musulman », raconta la femme. Cette cabane avait autrefois appartenu à sa grand-mère, c'était une maison d'été, pour les vacances.

Quand ils y arrivèrent, il y avait des souris, des toiles d'araignées. Une fois nettoyée, cette maison serait un bon refuge pour leur famille, qui n'appartenait ni à un camp ni à un autre. Ils pourraient se mettre à l'abri dans ce lieu isolé, à l'écart de la furie, avaient-ils pensé. Mais ils ignoraient alors que la furie était déjà parmi eux.

« Mon mari et mon fils sursautaient à chaque détonation, continua la femme. Ils ne supportaient pas de devoir se cacher ici, ils disaient qu'ils se sentaient pris comme des rats, vous comprenez ? »

« Tu ne peux pas nous empêcher de faire notre devoir », lui disaient-ils, et de plus en plus elle était une Bosniaque musulmane, et eux, des Serbes. « Si la Bosnie doit se séparer de la Yougoslavie, enfin de ce qu'il en reste, qu'est-ce que nous deviendrons, nous, les Serbes ? » demandait son mari quand ils chuchotaient, tard dans la nuit. Il paraissait de plus en plus nerveux, ne se rasait plus, les veines dans son cou saillaient comme si elles voulaient sortir de son corps.

Un jour, il ne supporta plus de dormir à ses côtés. En fait, il cessa carrément de dormir. Il passa des nuits à tourner en rond dans cette maison minuscule, il balbutiait, soupirait. Un matin, la femme constata que son mari était parti, avec leur fils aîné. Pas un mot, rien, ils s'étaient simplement évaporés, avait disparu au milieu de la nuit.

« Il me restait ma fille de vingt ans et mon fils cadet, qui, à dix-huit ans, était encore presque un enfant, poursuivit la femme. Il était déchiré : il s'en voulait de ne pas avoir suivi son père, mais il n'était pas comme lui, ni comme son grand frère, cette guerre, il n'y croyait pas, il ne voulait pas choisir son camp. Ce qu'il voulait vraiment, c'était lire ses livres et écouter sa musique. Ce qu'il voulait, c'était que tout redevienne comme avant. »

La femme servit la soupe à grosses louches dans les assiettes, souffla sur la sienne pour la tiédir, puis reposa sa cuillère et reprit son récit.

« Ma fille ne supportait plus de vivre ici, avec moi, avec nous. Elle s'est rendue au village, s'est présentée comme une réfugiée de Sarajevo, a rencontré un garçon et s'est installée dans sa famille. C'est une bonne fille, elle vient parfois me voir, m'apporte de la nourriture. Mais elle fait ça en cachette, elle refuse de révéler que je suis sa mère, moi, la vieille Serbe de la cabane dans le bois, c'est comme ça qu'ils m'appellent au village, dit la femme avec amertume. Vous comprenez ? Moi, je passe pour une Serbe, et ma fille doit se cacher pour venir me voir, c'est ça qu'ils ont fait de nous, eux, là-bas, à Belgrade... »

Puis la femme enchaîna : « Parfois, des gamins viennent me narguer ici, mais en général on me laisse tranquille. Je ne suis qu'une vieille femme. Mais s'ils savaient que mon fils vit avec moi, ce serait autre chose. C'est encore un adolescent fragile, j'ai peur pour lui, peur qu'il devienne fou, ou qu'il prenne les armes, ce qui reviendrait au même, n'est-ce pas ? »

La femme fixa quelque chose au fond de sa soupe, puis elle se leva, souleva un tapis élimé, ouvrit la trappe de la cave et appela. Un grand adolescent au visage mat tira son corps hors du trou. Il portait un lecteur de CD accroché à la ceinture de son jeans. Des écouteurs pendaient sur son t-shirt de Guns N'Roses.

Sa mère s'adressa à lui encore une fois, comme si elle lui ordonnait quelque chose. « Elle veut qu'il se présente, il parle anglais », expliqua Maria. « *Hi* », dit le garçon, puis il entortilla le fil de ses écouteurs autour de ses doigts. Il se dégageait de lui une impression de tristesse et de fragilité.

« S'il vous plaît, aidez-nous, sortez-le d'ici, supplia la femme. Il ne peut pas rester ici, il n'a pas ce qu'il faut, il n'est pas fait pour vivre ÇA. »

Elle avait entendu dire qu'il était possible de parrainer des réfugiés de Bosnie, depuis le Canada. « J'ai des copies de tous ses papiers d'identité, je vous écrirai son histoire, à la main, pour tout expliquer : la difficulté à vivre avec ses origines doubles, les pressions qu'il risque de subir pour joindre les combattants, la peur d'être ciblé par un camp ou par l'autre. »

Elle-même ne pouvait pas partir : il y avait sa fille,

et puis, si son mari et son fils revenaient, elle se devait d'être là, pour eux, elle n'avait d'autre choix que de rester là et de réparer sa maison, envers et contre tous. Mais le petit, lui…

Sa voix se fit suppliante : « S'il vous plaît, parrainez mon enfant, sortez-le d'ici. Je vous en prie. »

Christine décida de rester quelques jours chez elle, le temps que la femme rassemble tous les documents nécessaires pour faire partir son fils — le temps, aussi, de réunir tout le matériel pour son reportage. Cette famille déchirée, cette femme restée seule, en périphérie d'un village musulman vers lequel affluaient des centaines de réfugiés, alors que les combats tonnaient dans les collines : il y avait là tous les éléments de cette guerre absurde et cruelle.

Avec l'aide de Maria, Christine s'entretint longuement avec la femme, puis avec son fils. Elle se rendit au village pour interviewer sa fille, les autres réfugiés, les humanitaires étrangers. Le soir, elle écrivait à la main, enveloppée dans une couverture, à la lueur d'une lampe à kérosène.

Puis les tirs d'artillerie s'espacèrent. Christine parlementa avec l'organisation humanitaire, qui prévoyait un voyage à Zagreb. Oui, il y aurait de la place pour elle et Maria dans leur convoi. « On fait ça exceptionnellement, vraiment, parce qu'autrement vous ne pourriez jamais sortir d'ici, vous comprenez ? »

Christine fit ses bagages et serra longuement la femme dans ses bras. « *Hvala,* merci de nous avoir accueillies », dit-elle en glissant trois billets de cent dollars américains dans la poche de sa robe. La femme s'écarta, lui remit l'argent et lui tendit une grande enveloppe beige : « Garde cet argent, s'il te plaît, garde-le pour mon fils, pour le faire sortir d'ici. Dans l'enveloppe, il y a les copies de tous ses documents, et la lettre qui explique tout. »

« *I want to go to Canada* », renchérit le garçon, debout à côté de sa mère. Christine l'embrassa sur ses joues couvertes d'un duvet blond.

Elle aurait dû forcer la femme à garder l'argent, mais elle s'en sentait incapable. C'était comme lui refuser tout l'espoir qu'elle nourrissait de sauver son fils. Elle remit donc l'argent dans le sac fixé à sa taille. Elle regarda la maison où elle venait de passer les trois dernières journées, le poêle à bois où la femme avait posé un grand seau d'eau, pour le lavage, les colliers de bolets qui séchaient sur le poêle, les pins paisibles qui cernaient la clairière, derrière la fenêtre. Puis elle se dirigea vers la porte, le cœur serré, sans dire un mot.

La femme donna encore un bout de papier à Maria, qui expliqua : « C'est l'adresse à laquelle tu dois écrire pour la contacter, quand tout sera prêt. » Puis elles partirent toutes les deux, sans se retourner.

Dès que l'auto qui devait les ramener à Zagreb démarra, Christine se mit à pleurer. La femme, le garçon, les trois billets verts, l'injustice qui imposait à cette famille des déchirements inhumains, alors qu'elle, Christine, rentrerait bientôt chez elle, dans un monde où l'on n'a pas à choisir son camp, dans SON monde, où ses grandes décisions consisteraient à déterminer si elle allait manger du poisson ou une salade, et si elle accompagnerait son plat de vin rouge ou de vin blanc…

Les larmes qui coulaient sur ses joues ne semblaient jamais pouvoir s'arrêter. Maria lui prit la main et la tint longuement dans la sienne.

La perspective du retour se matérialisa plus vite que Christine ne l'avait prévu. Un message du journal l'attendait à son hôtel de Zagreb. Elle téléphona à Montréal : « Tu étais partie où ? Nous étions inquiets, il y a eu des journalistes tués, hier, on a eu peur pour toi. Tu n'as pas donné de nouvelles depuis plusieurs jours. »

Christine expliqua qu'elle n'avait pas eu le choix, là où elle était, il n'y avait ni télécopieur ni téléphone. « Reviens », ordonna son patron. « Quand ? » « Le plus vite possible. »

Elle envoya son dernier reportage, réserva un billet d'avion pour le surlendemain, essaya de retrouver les autres, l'Américain, le Hollandais, et apprit que, sur un coup de tête, ils étaient partis pour Sarajevo. Et le Japonais ? Le Japonais aussi.

Ça alors, se dit Christine. Où avaient-ils donc puisé le courage d'aller là-bas, au cœur de la guerre ? *Not safe,* leur dit-elle en pensée, en songeant qu'elle aurait dû y aller, elle aussi. Seulement, il était trop tard.

Elle passa une dernière soirée avec Maria. « On s'écrit, d'accord ? On reste en contact ? » Puis, au petit matin, l'avion s'envola, et elle s'étonna de n'apercevoir, par le hublot, que des champs blonds et paisibles.

Et après? Qu'était-il donc arrivé après? Christine regardait mécaniquement de vieilles photos de villages, avec leurs maisons de bois ou de crépi, des charrettes, des murs percés par des obus, des hommes et des femmes en train de les réparer. Étaient-ils croates? bosniaques? Elle n'arrivait pas à les identifier avec certitude. Aucune photo de la femme ou de son fils, comment était-ce possible?

Elle se rappelait vaguement avoir joint une association bosniaque, à son retour à Montréal. Oui, c'est ça : elle s'était imaginé que c'était la meilleure façon de procéder, que ces gens feraient tout ce qu'il fallait pour que le Canada donne l'asile politique à cet adolescent qui écoutait Guns N'Roses, dans une cave, dans un pays devenu fou à lier.

Leur avait-elle donné les trois cents dollars? Oui, probablement… mais elle ne s'en souvenait pas, pas VRAIMENT.

Ses reportages dans l'ex-Yougoslavie avaient suscité beaucoup de réactions. Elle en tira un certain succès et passa à d'autres reportages, dans d'autres pays, dont les habitants se posaient les mêmes questions : la guerre, ici? Mais comment cela a-t-il pu arriver? Mon cousin, mon ami, ma belle-sœur appartiennent pourtant à l'autre camp. Et nous ne savions même pas qu'il y avait une différence entre nous…

Peu à peu, Christine oublia la femme et son fils dans leur clairière au milieu de la forêt. Puis un jour, dix-huit mois après son retour à Montréal, peut-être un peu plus, elle reçut cette lettre, avec son ancienne adresse tracée en lettres soignées, avec des pleins et des déliés…

« *Dear Kristin* », commençait la lettre.

« Comment vas-tu ? J'espère que tout va bien pour toi. Ici, c'est toujours la guerre. Mon mari a été blessé et il est revenu auprès de moi. Il est très déprimé, mais il ne veut plus se battre. Il m'aide à la maison. Par contre, je n'ai pas de nouvelles de mon fils aîné. Quant à Emir, mon plus jeune, je ne sais pas où en sont tes démarches pour le faire venir au Canada. Mais je crois qu'il se trouve maintenant en lieu sûr. Il est à Srebrenica, une ville bosniaque qui a été déclarée zone de sécurité et qui est gardée par des Casques bleus. Il y a été accueilli par des amis, il a trouvé un boulot, il est traducteur pour les gens de l'ONU, donc tout va bien. Merci encore pour ton aide, j'espère te revoir un jour. »

Ah oui, il s'appelait Emir… Emir à Srebrenica… Peu de temps après que Christine eut reçu cette lettre, les Casques bleus néerlandais qui surveillaient cette supposée enclave de paix supplièrent leurs patrons de leur envoyer de l'aide, qu'ils n'ont jamais reçue. Puis des Serbes armés embarquèrent des milliers d'hommes musulmans, que l'on n'a plus jamais revus. Les soldats de l'ONU furent incapables de les en empêcher. Ils laissèrent partir les prisonniers, sans tirer un seul coup de fusil pour les défendre.

Quand elle eut connaissance des premières rumeurs de massacres à Srebrenica, Christine pensa immédiatement au grand adolescent, avec son jeans et son lecteur de disques compacts, émergeant de la cave dans la petite maison dans la clairière. Figurait-il parmi les victimes?

Des années plus tard, alors qu'elle se trouvait à La Haye pour le procès de Slobodan Milosevic, ex-président d'un ex-pays, accusé de crimes de guerre et de génocide, elle croisa un journaliste qui avait réussi à échapper aux massacres de Srebrenica. Il avait l'âge qu'aurait eu ce garçon, Emir, à qui elle avait fait miroiter un asile au Canada.

Peut-être s'étaient-ils connus? Mais non, le nom ne lui disait rien, vous savez, là-bas, c'était un tel chaos. Il y avait des gens de partout...

Il faisait nuit maintenant. Christine remonta sur l'escabeau et recommença à ranger ses livres dans les boîtes en carton. Elle avait laissé la lettre sur la table de cuisine, en se disant: je devrais peut-être essayer de retrouver cette femme. Maintenant, j'ai son nom, je pourrais chercher sur Google. Ou alors son fils, s'il est vivant, bien sûr...

Mais... pour leur dire quoi? Qu'elle n'avait plus jamais contacté l'organisation bosniaque à qui elle avait confié le cas d'Emir? Qu'elle avait été, depuis, happée par d'autres histoires, d'autres reportages, d'autres guerres? Qu'elle avait appris, un peu grâce à eux, à dire qu'elle ne pouvait sauver personne? Que ce n'était pas de son ressort?

Et qu'elle venait d'être nommée correspondante à Jérusalem, où elle rencontrerait, à coup sûr, d'autres garçons qui ont eu la malchance de venir au monde au mauvais endroit, au mauvais moment?

À quoi bon? Et cette femme, que pensait-elle d'elle, aujourd'hui? Christine ne se souvenait plus si elle avait répondu à sa lettre, à l'époque. Mais elle soupçonnait que non. Probablement pas. Elle avait trop à faire, comme toujours.

Ça ne sert à rien de remuer le passé, trancha-t-elle. Une fois de plus, elle descendit de l'escabeau, alla chercher la lettre sur la table de cuisine et la lança dans la boîte en carton, avant de la recouvrir de biographies de personnalités que plus personne ne se rappellerait dans dix, vingt ou cent ans.

En attendant, elle avait intérêt à se dépêcher. Le camion de déménagement devait arriver tôt, le lendemain matin.

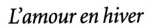

L'amour en hiver

En franchissant le seuil du centre d'appels, Sami sentit la piqûre du froid sur son visage et son cou. Le temps était glacial. De minuscules cristaux de givre hérissaient l'air et griffaient sans pitié le moindre millimètre de peau nue.

Des colonnes de fumée blanche s'élevaient, droites et immobiles, au-dessus des immeubles du centre-ville. Avant d'atteindre le trottoir, Sami passa à côté d'un groupe d'employés — des jeunes, des étudiants sans doute — qui fumaient en grelottant, appuyés contre la paroi vitrée.

Comme toujours, il avait laissé ses gants et son foulard à la maison, protestant à sa façon contre cette aberration climatique appelée « hiver ». C'était le deuxième qu'il passait à Montréal, et il était étonné d'être encore là, douze mois plus tard, dans cette ville recroquevillée sur elle-même, comme pour mieux garder sa chaleur.

Tout son corps se révoltait contre l'agression permanente du froid. Pourtant, l'idée de s'envelopper dans des couches de tissu protecteur, de se rétracter dans sa coquille de laine polaire et de duvet équivalait pour lui à un aveu d'échec, à une démission.

Sami tourna à droite, la tête levée, les yeux fixés sur les passants qui avançaient en trottinant, le regard rivé au sol. Une plaque de glace qu'il n'avait pas remarquée le fit déraper, et il dut écarter les bras pour rétablir l'équilibre.

Devant le casse-croûte où il avait l'habitude d'acheter un sandwich, pendant sa demi-heure de pause, une auto faisait crisser ses pneus, projetant des particules de neige et de monoxyde de carbone autour d'elle.

À l'intérieur, il opta pour un panini au jambon, anticipant la sensation de chaleur grasse qui filtrerait à travers le papier ciré. Il s'avança le long du comptoir en fouillant dans son portefeuille : il lui restait précisément huit dollars et vingt-six cents, et il devait attendre encore deux jours avant la prochaine paie. Il réglerait avec sa carte de crédit, une fois de plus.

Il se promit de préparer son lunch le lendemain et fit mentalement l'inventaire de son réfrigérateur. Il y restait encore un peu d'houmous, du labneh et un paquet de pains pitas. Ça irait jusqu'à jeudi.

La caissière portait un pantalon moulant et un corsage blanc à bretelles fines, comment faisait-elle ? Elle se tenait pourtant face à la porte, et chaque nouveau client projetait sur elle un courant d'air froid.

Pendant que la jeune femme tapait sur sa caisse enregistreuse, Sami promena son regard sur les chocolats placés sur le comptoir, dans un panier en osier rose. Il ne s'agissait pas de ces friandises de sucre et de saindoux qui donnent la nausée, mais de véritables chocolats, pur cacao, fourrés au Cointreau, aux noisettes ou à la praline.

Il en prit un pour lui puis, mû par une impulsion, un second, en se disant qu'il le donnerait bien à quelqu'un — mais au fond, il savait déjà à qui.

*   *   *

Le chocolat trônait au milieu du clavier. Il recouvrait les touches G, Y, H et J, et accrochait au passage le N et le B.

Nathalie revenait de la petite cuisine où elle avait mangé la salade de lentilles et de carottes qu'elle avait préparée le matin même, pour la pause repas. Elle venait de passer quatre heures avec les écouteurs vissés sur les oreilles, à poser des questions absurdes à des gens qu'elle ne rencontrerait jamais.

Cela faisait trois jours qu'elle effectuait un sondage sur les habitudes de santé de personnes dont les numéros de téléphone apparaissaient automatiquement sur l'écran de son ordinateur. Elle leur demandait combien elles pesaient, à quand remontait leur dernière diarrhée et, le cas échéant, quels soins elles apportaient à leur dentier.

« Le retirez-vous la nuit, le nettoyez-vous tous les soirs ? » lançait-elle avec sérieux, et elle s'étonnait chaque fois que son interlocuteur répondait sans s'esclaffer.

Dans la cuisinette sans fenêtres, elle mangea sa salade en silence, en luttant contre un début de migraine. Ce travail était abêtissant, mais il lui permettait de gagner sa vie sans trop de stress et de profiter d'horaires souples, ce qui, dans sa condition, était inestimable.

Les matins où ÇA revenait, quand elle se réveillait avec cette montagne de ciment sur la poitrine et le sang qui battait dans ses tempes avec un bruit assourdissant, elle pouvait facilement se faire remplacer, à quelques heures de préavis. Il y avait toujours quelqu'un — un étudiant ou un retraité cherchant à arrondir ses fins de mois — prêt à prendre sa relève. Elle recevait un salaire régulier et était parfaitement remplaçable : voilà tout ce qu'elle demandait.

Nathalie puisa deux comprimés dans son sac à main et les avala avec un grand verre d'eau. Peu à peu, la douleur s'atténua. Puis elle retourna à son poste de travail et aperçut la boule argentée, posée en plein milieu du clavier de l'ordinateur. Elle prit le chocolat, l'examina, le mit de côté. Puis elle vit Gisèle, sa voisine de bureau, lui faire des signes en souriant : elle inclinait la tête, le menton pointé vers le bureau de Sami, à l'autre bout de la salle.

C'était donc LUI, comme Nathalie l'avait espéré sans se l'avouer, lui qui avait dû penser à elle, prendre le temps de choisir le chocolat, le payer, le rapporter ici et le placer sur son clavier. L'évocation de ces quelques instants durant lesquels il avait regardé les chocolats, les avait peut-être soupesés, tâtés, tout en pensant à elle, créa une sorte d'intimité virtuelle entre eux, et Nathalie sentit une chaleur naître dans ses joues et envahir son visage.

Elle se dépêcha de mettre ses écouteurs, mais juste comme elle entendait l'appareil composer le numéro de son prochain interlocuteur — avait-il ou non un dentier ? des diarrhées ? — elle ne put s'empêcher de jeter un coup d'œil vers le bureau de Sami. Il se tenait debout à son poste de travail et la fixait en souriant. Leurs regards se croisèrent, puis Sami plongea derrière son paravent.

*   *   *

La nuit, la température chutait abruptement, et, même s'il plaçait le bouton de la chaufferette d'appoint en position maximale, Sami frissonnait. En attendant que l'eau pour le café commence à bouillonner, il alluma tous les ronds de la cuisinière et plaça ses mains au-dessus, pour les réchauffer. La fenêtre mal isolée était couverte de frimas.

Il se rendit compte qu'il n'avait pas parlé à Samar depuis bientôt trois mois. Elle ne lui manquait plus, maintenant. Ou alors il ne s'en rendait plus compte, anesthésié par la distance et le temps. Longtemps, il avait senti son empreinte sur son corps, il n'avait qu'à fermer les yeux pour l'entendre rire, imaginer sa moiteur, respirer son odeur de sucre et de fleur d'oranger.

Samar n'avait pas voulu partir. Et lui, il ne pouvait plus rester. C'était une certitude presque physique, produite par le haut-le-cœur qu'il avait éprouvé le jour où une explosion avait retenti en plein cœur de Beyrouth, réduisant à un tas de ferraille l'auto qui transportait l'ancien premier ministre Rafik Hariri.

Sami n'avait pas une affection particulière pour ce politicien, ni pour aucun autre, d'ailleurs. Mais ce jour-là, il avait senti avec tous les pores de sa peau que ce pays, son pays, courait à sa perte. Que tout pouvait recommencer. Et que lui, Sami, ne voulait pas vivre ça. Pas une autre fois.

Samar était plus optimiste, ou plus pessimiste, selon le point de vue. Elle ne trouvait pas la situation si dramatique, là-bas. « On a vu pire, *habibi* », disait-elle. En revanche, elle avait une vision sombre de la vie d'immigrant : « Je n'irai pas faire des ménages, ni au Canada ni à Paris, c'est hors de question, jamais, *halas* », trancha-t-elle.

Il était parti quand même, en se disant qu'il finirait par la convaincre de le rejoindre, quand il se serait établi, quand il deviendrait clair que les planchers, les cuisinières et les cuvettes de son pays d'adoption pouvaient se passer des services ménagers de Samar. Ce n'était qu'une question de mois.

Au début, elle lui manquait terriblement, il y avait si longtemps qu'ils étaient deux, lui et elle, Sami et Samar. Il lui arrivait d'avoir l'impression de croiser son visage dans la rue, ou dans le métro. Une fois, il avait tenté de rattraper une femme qui avait vaguement sa silhouette, avec les mêmes cheveux noirs mi-longs, éclairés par des reflets fauves. Quand il était arrivé à sa hauteur, la femme s'était retournée et avait serré son sac à main contre sa poitrine. Sami s'était senti honteux et ridicule.

Mais avec le temps, le souvenir de Samar s'estompa. En principe, il espérait toujours qu'elle viendrait le rejoindre. Mais la nuit, il ne rêvait plus d'elle, ne cherchait plus son corps dans son lit. Et parfois, il ne parvenait même plus à recréer mentalement son visage — alors, il se précipitait vers son portefeuille, où il gardait toujours une photo que Samar avait prise un jour dans une cabine automatique. Elle y portait des lunettes de soleil et avançait ses lèvres, comme pour un baiser.

Des bourrasques faisaient vibrer la fenêtre de la cuisine. Des bruits de dispute traversaient le mur de l'appartement voisin, dans une langue qu'il avait de la peine à identifier. Du dari, peut-être : il se rappela qu'une famille afghane y avait emménagé quelques jours plus tôt. Une odeur de cumin et d'oignons frits flottait devant leur porte, dans le corridor.

L'eau bouillait, maintenant, mais Sami se versa plutôt un verre de rhum. Il était venu ici en pensant trouver facilement du travail dans un hôpital ou une clinique. Pas nécessairement comme médecin, non, il savait que les choses ne seraient pas aussi faciles. Mais comme infirmier, peut-être ? ou stagiaire ?

Mais c'était plus compliqué que ça, il y avait des procédures, des cours d'appoint, des examens. En attendant, il avait trouvé ce boulot où il pouvait monnayer ses compétences linguistiques — il maîtrisait aussi bien le français que l'anglais — pour un salaire de dix dollars l'heure.

Ce n'était pas assez pour préserver ses économies, qui fondaient à vue d'œil. C'est peut-être un peu pour ça qu'il avait cessé de téléphoner à Samar : il attendait d'avoir de bonnes nouvelles à lui annoncer.

Il s'assit sur son lit, son verre à la main. Il s'était souvent fait poser les mêmes questions. T'es libanais et tu t'appelles Sami ? Pourquoi pas Abdallah ou Mohamed ? Tu bois de l'alcool ? Tu manges du jambon ? Encore un peu et ils lui demandaient s'il portait la clé de la ceinture de chasteté de ses quatre épouses autour du cou, et combien de chameaux elles lui avaient coûté.

Ils avaient lu tous ces clichés sur les musulmans depuis les attentats du 11 septembre, et ce chrétien d'origine, athée de confession, amateur de rhum et de charcuteries diverses, ne cadrait assurément pas avec le portrait qu'ils se faisaient de l'Arabe typique, ce martyr en puissance fantasmant sur les soixante-douze vierges qui l'attendent au paradis.

Sami se versa un autre verre d'alcool. Puis il repensa au chocolat qu'il avait acheté, sans l'avoir prémédité, en allant chercher son panini, plus tôt ce jour-là. Sur le coup, ça semblait une bonne idée. Mais il n'en était plus certain.

*   *   *

La télé était allumée, mais Nathalie ne la regardait pas vraiment. Elle avait réchauffé la soupe aux légumes de la veille et s'était installée sur le sofa, avec son bol fumant, du pain et quelques tranches de cheddar.

Sur l'écran défilaient des images de tanks, de

femmes qui pleuraient, de corps étendus dans une mare de sang. Mais Nathalie fixait un point lointain, dans un champ visuel intérieur où s'étalait le visage de Sami, avec ce sourire qui se répandait généreusement jusqu'à ses yeux, à ses sourcils, à son front.

Elle aimait le fait qu'il vienne de loin, qu'il ne sache rien d'elle, qu'elle ne soit pour lui que ça : la fille qui gagne sa vie en demandant aux gens s'ils avaient eu au moins trois selles molles au cours des vingt-quatre dernières heures.

Il devait, lui aussi, poser les mêmes questions, c'était une chose qu'ils avaient en commun, mais il y en avait peut-être davantage, qui sait.

Pour le reste : Nathalie avait aperçu, une fois, la photo d'une fille aux yeux sombres, légèrement inclinés, dans le portefeuille qu'il avait laissé traîner sur la table de la cuisinette, un midi. Sa femme ? Une ex ? De toute façon, tout chez Sami indiquait qu'il vivait seul : ce qu'il mangeait, la manière dont il s'habillait, et sa façon aussi de s'attarder au centre d'appels, après avoir fini ses heures.

Il ne répugnait ni à travailler la nuit ni à assurer les week-ends, ce qui était signe, selon Nathalie, d'une grande liberté, doublée bien sûr d'un besoin d'argent.

Elle-même avait pris ce boulot après ÇA, après ces dix mois de congé au terme desquels la perspective de franchir de nouveau la porte de l'école, et d'y faire face à un mur d'adolescents hostiles et butés, lui donnait l'impression de se noyer.

Bien sûr, elle n'allait pas faire des sondages pendant vingt ans. Mais au moins, les gens qui lui raccrochaient au nez, elle ne les voyait pas, eux. Et puis, elle s'étonnait de constater à quel point ses coups de fil étaient parfois bien accueillis. Combien il y avait de gens qui, au fond, étaient contents d'avoir quelqu'un à qui parler. Donc, pour l'instant, ça allait.

Surtout maintenant, surtout depuis que. Elle repensa à Sami et se laissa envahir par une sensation de chaleur et de certitude. Ce chocolat était un signe, il tissait un fil entre eux. À un bout du fil, il y avait lui, Sami. Et à l'autre bout, elle, Nathalie. Ça ne lui était pas arrivé depuis des siècles.

Le téléphone sonna. Oui, tout va bien, ne t'inquiète pas, maman. Mais est-ce que tu vas me demander ça tous les jours? Avec les médicaments, tout se passe bien. Bonne nuit, maman.

* * *

C'était une mauvaise journée. Sami ne tombait que sur des abonnés absents, ou sur des enragés, des gens qui semblaient lui en vouloir personnellement, à lui, parce qu'il les arrachait à leur repas pour leur poser des questions absurdes et indiscrètes.

Le dernier avait reposé le combiné avec tant de force que le tintement de l'écouteur s'était prolongé en un écho aigu, presque douloureux, dans l'oreille de Sami. Il s'étrangla dans une quinte de toux et les têtes penchées autour de lui, avec leurs micros et leurs écouteurs, se levèrent simultanément au-dessus des pupitres. C'était comme un mouvement de chorégraphie : la danse des coléoptères. Derrière sa fenêtre de plexiglas, son superviseur lui fit des signes échevelés, qui signifiaient : tu déranges tout le monde, va tousser ailleurs.

Sami s'étira, se leva de sa chaise et se dirigea vers les toilettes. Quand il passa près du bureau de Nathalie, il sentit une main effleurer son avant-bras. Il se pencha et vit qu'elle lui tendait une feuille sur laquelle elle avait griffonné : « Un sandwich, dans 15 minutes ? »

Voilà donc ce qui lui procurait un malaise, depuis la veille. Cette histoire de chocolat. Il avait agi sur un coup de tête, sans réfléchir, mais au moment d'offrir son cadeau à Gisèle il s'était senti intimidé, sa main avait dévié de sa trajectoire et s'était bêtement posée sur le clavier voisin.

Dans ce pays où la séduction n'était pas un jeu, mais une affaire de calculs, ou un combat de pugilistes — du moins, c'est ce que Sami en comprenait —, ce petit dérapage ouvrait des possibilités auxquelles il n'avait jamais songé. Mais comme il avait oublié d'apporter son lunch, il sourit, et dit oui, pourquoi pas ? Dans un quart d'heure. Puis sa main serra l'épaule de Nathalie.

*   *   *

Sami avait fait le premier geste, le suivant lui revenait, à elle. Nathalie croyait aux principes de la réciprocité et de la justice, même si dans son cas, en matière sentimentale, ces règles de conduite n'avaient jamais fait leurs preuves.

« C'est pour ici ou pour emporter ? » demanda la caissière d'une voix enrouée. Elle avait le bout du nez rouge et portait une tuque enfoncée sur le front.

« Pour ici, se dépêcha de répondre Nathalie.

— Une seule addition, lança Sami, qui se plaça devant la caisse.

— Non, non, pas question, je paie ma part », protesta Nathalie.

Elle extirpa cinq dollars de son sac, y ajouta des pièces de monnaie puisées une à une dans la poche de son manteau. Derrière elle, quelqu'un grommela : elle y mettait trop de temps. Elle avait beau fouiller, il lui manquait quarante-cinq cents. Sami régla la différence. « Tu vois, t'aurais dû me laisser t'inviter... »

Ils se juchèrent sur des tabourets ; Nathalie sentit ses pieds flotter dans le vide. Elle chercha une position, n'en trouva pas, et attaqua son sandwich. Il était très épais, avec des couches de tomate, de jambon, d'aubergine et de poivron grillé, puis de la laitue, du fromage.

Il y en avait vraiment trop. Quand elle mordit dans le sandwich, la moutarde coula sur son menton pour atterrir sur sa veste de laine beige. Elle eut envie de pleurer : ça commençait vraiment mal. Puis elle leva la tête vers Sami et vit que ses épaules tressautaient.

« Je suis désolé, hoqueta-t-il, vraiment désolé. »

Alors, ils éclatèrent de rire, tous les deux.

* * *

Dans la poignée d'aventures qu'il avait vécues ici depuis son arrivée, Sami avait appris que tôt ou tard, c'était inévitable, il allait subir le supplice de l'interrogatoire. Qu'attends-tu de moi? Veux-tu que nous soyons ENSEMBLE? Formons-nous un couple? Sommes-nous des amants occasionnels?

Plus elles avançaient dans la trentaine, plus les femmes se montraient brutales. Parfois, elles allaient directement au but : je veux des enfants, et toi?

Avec Samar, il n'avait jamais eu à se poser ce genre de questions. Ils s'étaient rencontrés à Beyrouth, sur le campus coquet de l'Université américaine. Samar avait laissé sa famille à Damas. Les parents de Sami étaient morts au début de la guerre civile, quand il avait tout juste dix ans.

Sa tante, qui l'avait élevé depuis, exploitait un petit salon de coiffure et n'avait ni le temps ni le goût de se préoccuper de sa vertu.

Dans la mesure où ils ne s'exhibaient pas de façon trop ostentatoire, Sami et Samar étaient donc formidablement libres. Ils n'allaient pas gâcher ça en s'encombrant eux-mêmes de chaînes inutiles.

Avec Nathalie, les choses commencèrent par le scénario attendu. Il l'invita au restaurant. Puis au cinéma. « Allons chez moi », lui lança-t-elle à la fin du film, avec cette franchise qui, chaque fois, laissait Sami sans voix.

Elle habitait un petit appartement meublé chez

Ikea, surchargé de livres et de bibelots. Son lit était défait. Il y avait des traces de savon et de dentifrice sur le miroir de sa salle de bain. Et dans son salon, cinq plantes vertes agonisaient lentement dans l'indifférence générale.

Ils s'aimèrent à l'avenant, dans le désordre et le chaos. Ils se donnèrent d'autres rendez-vous, évitant le détour par le cinéma pour aboutir directement entre ses draps froissés. Après quelques semaines, il commença à la trouver belle et s'étonna de ne pas l'avoir remarquée avant. De l'avoir séduite par ce cadeau involontaire, destiné à une autre.

Puis, Sami attendit les questions. Mais elles ne venaient pas. Elle ne lui demandait ni son âge ni son état civil. Alors, il ne lui demandait rien, lui non plus.

Une fois, en sortant de la douche, chez Nathalie, il ouvrit la porte de la pharmacie. Il eut un mouvement de recul en voyant les comprimés. Il était médecin. Il savait bien à quoi ils servaient. C'était comme un signal d'alerte, une lumière rouge qui clignotait furieusement : attention, fragile.

*   *   *

Sami dormait rarement chez Nathalie. Elle préférait qu'il rentre chez lui. Quand il l'invitait à le suivre, elle se défilait : vas-y, retourne chez toi, on se verra demain.

Un jour, elle se réveilla à l'aube, avec la lourdeur familière qui écrasait sa cage thoracique. Sa tête tournait, sa bouche était sèche et son cœur palpitait.

Elle s'assit par terre, moite de sueur, entoura sa taille de ses bras et se berça en gémissant. Les murs crépitaient de bruits étranges. Elle se leva, marcha vers la cuisine en titubant. Elle prit de grandes respirations, en comptant chaque fois jusqu'à dix.

Puis elle téléphona au centre d'appels et prit congé pour la semaine. Elle augmenta sa dose de médicaments et se remit au lit en attendant que ÇA passe. Il fallait bien que ça arrive un jour. Et il n'était pas question qu'IL la voie comme ça.

*   *   *

Nathalie n'était pas rentrée au travail, et Sami réalisa qu'il ne connaissait même pas son numéro de téléphone. Ils se voyaient toujours en sortant du centre d'appels, s'éclipsaient l'un après l'autre pour que leurs collègues ne les voient pas partir ensemble et se retrouvaient devant le dépanneur, en face de chez elle. Parfois, à mesure que la journée avançait, au centre d'appels, il se surprenait à anticiper le moment où ils se tiendraient ensemble, devant sa porte, alors qu'elle chercherait nerveusement ses clés dans son sac à main.

Mais la place de Nathalie était vide, pendant toute une journée, puis une autre. Le premier soir, il fut content de rentrer chez lui. Il regarda la télévision jusqu'au milieu de la nuit, les informations à CNN, puis un match de foot en reprise. Et pour finir, les prévisions météo : deux dépressions consécutives s'apprêtaient à déverser trente centimètres de neige sur

Montréal. Partout ailleurs, c'était le printemps. Sa vie lui parut absurde, tout à coup. Il ne supporterait pas une année de plus de ce climat.

Le deuxième jour, Sami passa devant le bureau de Gisèle avec l'intention de prendre des nouvelles de sa collègue absente. Mais sa bouche en décida autrement, et il la complimenta plutôt sur sa nouvelle coupe de cheveux. Il eut l'impression bizarre que Nathalie n'avait jamais existé.

Le troisième jour, Gisèle l'invita à une soirée qu'elle allait organiser le samedi suivant, chez elle. Il répondit en lui proposant de partager un panini à l'heure de la pause. Elle le bombarda de questions : avait-il de la famille là-bas, avait-il connu la guerre, était-il musulman ou chrétien, comment se faisait-il qu'avec ses diplômes il faisait ce boulot idiot, et que pensait-il du hidjab ? Elle-même était contre, tout à fait contre. À cause de l'oppression des femmes.

Pour la première fois depuis longtemps, il pensa à Samar, à ses cheveux qui ondulaient sur ses épaules quand elle les dénouait, en secouant la tête.

Et le quatrième jour, Samar téléphona. Elle était au Canada, tout était organisé, elle l'attendait à Vancouver. En entendant sa voix, Sami sentit le temps se contracter. Ces deux hivers à Montréal avaient-ils réellement existé ? C'était comme s'il rentrait chez lui…

« C'est magnifique ici, lui lança Samar de sa voix vibrante. Il y a des arbres en fleur, des cerisiers, je crois. La belle-sœur d'un de mes cousins, tu sais, Youssef, celui de Tripoli, a un ami là-bas. Il dirige un labo médical, il pourrait t'engager comme assistant. C'est mieux que de faire des sondages, non ? Après, on verra. »

Samar, elle, avait un filon pour enseigner dans une école de langues. « Tout le monde veut apprendre l'arabe, maintenant, *habibi*. Alors, tu fais tes bagages et tu t'en viens. J'ai trouvé une chambre avec un grand lit. C'est tout ce qu'il nous faut, non ? »

C'est fou comme il reste peu de choses de mes six saisons à Montréal, pensa Sami en faisant ses bagages : deux casseroles, des draps déjà élimés, une couverture, une lampe, un oreiller.

Il laissa ces possessions, résilia son bail et annonça sa démission au centre d'appels, après une dernière journée de travail. Quand il plongea dans la rue, avec un sentiment de libération, il vit la silhouette de Nathalie avancer péniblement dans un tourbillon blanc.

Il s'arrêta, croisa ses bras et prit une grande respiration. De la neige fondait dans ses chaussures, et ses oreilles exposées au froid lui faisaient mal. Il devait bien lui dire au revoir. Oui, vraiment, ce serait la moindre des choses. Mais en même temps, s'avoua-t-il, il avait peur de sa réaction. Il se rappela la boîte de comprimés, dans la pharmacie. Et le voyant rouge clignota dans sa tête.

*   *   *

La crise, qui avait été plus virulente que les autres, laissa Nathalie dans un vide d'énergie semblable à un trou noir. Sa mère vint l'aider, et elle la laissa faire. Elle s'étonnait que Sami n'ait pas essayé de la joindre — mais en même temps, elle était soulagée. Un jour, elle le lui dirait. Un jour. Plus tard.

Le lundi, quand elle retourna travailler, elle n'eut pas la force de pelleter la neige qui s'était accumulée devant sa porte. Elle marcha dedans, avec difficulté, s'enfonçant jusqu'aux cuisses. Les autos ensevelies formaient des rangées de fantômes blancs dans les rues encombrées. Et la neige tombait toujours, à grandes brassées poussées par le vent.

Elle sortit du métro, remonta son foulard et son capuchon. À l'approche du centre d'appels, elle aperçut la silhouette familière. Sami l'attendait-il? Oui, c'était bien lui. Et il lui faisait un signe de la main.

Nathalie accéléra le pas : elle revenait à la vie, maintenant. Et tout allait pouvoir recommencer. Mais la silhouette lui tourna le dos et s'effaça derrière un voile blanc.

Leonard et moi

C'était un matin de printemps comme il n'y en a qu'à Montréal, quand, en l'espace de quelques heures, la ville anesthésiée par le froid est emportée par une frénésie bourgeonnante et ensoleillée.

Le matin, quand j'ai pris le journal sur le pas de la porte, le frimas recouvrait encore la terre chauve, piquée de quelques crocus. Mais j'ai perçu dans l'air l'odeur tiède de sol humide, de merde de chien et d'autres détritus qui apparaissent à la fonte de la neige et marquent le changement de saison.

J'ai lu les grands titres du journal en buvant un café, puis je me suis regardée dans la glace. Il n'y avait pas de quoi se réjouir. Mes cheveux s'échappaient dans toutes les directions, sans le moindre souci de cohérence. Une repousse grise me tailladait la tête, au sommet du crâne. J'ai constaté que la peau de mon cou s'était encore fripée, comme un drap mal repassé. Et qu'une ride courait en biais depuis le sillon qui s'était creusé autour de ma bouche, annonçant de nouveaux changements topographiques.

Dehors, le soleil s'élevait entre les branches de l'érable couvert de pousses vert tendre. J'ai préparé un autre café, j'ai fait les mots croisés et j'ai lu les nécrologies, où les morts paraissaient terriblement jeunes et vivants. Certains avaient laissé dans le deuil des enfants et des petits-enfants, d'autres des neveux et des nièces, d'autres encore un amoureux ou leur vieille mère. Tous allaient rater une belle journée.

À l'heure de l'ouverture des bureaux, j'ai composé le numéro d'un salon de coiffure où je n'avais pas mis les pieds depuis trop longtemps. En attendant l'heure du rendez-vous, j'ai fouillé dans la garde-robe à la recherche de vêtements légers. J'ai eu de la peine à attacher les boutons de ma veste de tweed, mon corps avait dû prendre la forme de ma doudoune pendant l'hiver.

Je n'ai pas osé essayer mes jupes fleuries, je les ai simplement accrochées au centre de l'armoire, reléguant les chandails de laine et les pantalons de velours épais aux extrémités. Finalement, j'ai remis mon jeans, celui que je porte tous les jours, avec la même tunique noire, et un foulard orange vif pour la couleur.

Le soleil entrait maintenant par la fenêtre, jetant des flaques mouvantes sur le prélart de la cuisine. Les morts du journal me fixaient de leurs yeux immobiles. Je les ai mis dans le bac de recyclage. Il restait encore deux heures avant mon rendez-vous, mais je ne tenais pas en place. Je me suis dit que je marcherais lentement, en flânant sur le trottoir, côté soleil.

Dehors, il faisait encore plus chaud que ce que j'avais imaginé. J'ai hésité, puis j'ai enlevé ma veste en polar pour la jeter dans le couloir, à travers la porte. Je ne pensais à rien, mes pieds ont pris le relais, me faisant aller à droite, puis à gauche, vers le nord, puis vers l'ouest.

Tous les Montréalais semblaient avoir déferlé sur les trottoirs, où étaient-ils donc disparus pendant l'hiver ? Ils marchaient dans toutes les directions, des filles en bretelles spaghettis, des hommes dans des t-shirts qui laissaient à découvert leurs biceps blafards et bombés.

La veille encore, les passants glissaient dans les rues à pas rapides, tête baissée, épaules serrées pour se protéger du froid. Maintenant, ils remplissaient les rues de leurs corps ondoyants et bandés, explosant de courbes et de tensions.

Cette sensualité était contagieuse, j'ai eu envie d'acheter une robe décolletée et moulante, ou un soutien-gorge échancré de couleur vive. Je me suis attardée devant quelques vitrines, mais rien de ce que j'y ai vu ne pouvait concurrencer ce soleil chaud qui pénétrait jusqu'à mes os et apaisait mes articulations.

Alors, j'ai marché et marché encore, jusqu'au petit square à deux coins de rue du salon où exerce mon coiffeur. Il était beaucoup trop tôt pour mon rendez-vous. Je me suis assise sur un banc, j'ai fermé les yeux et j'ai tourné ma tête vers le soleil.

J'ai somnolé comme ça pendant quelques minutes, en imaginant toute la vitamine D que le soleil chaud injectait dans mes veines. Puis j'ai senti le mouvement d'un corps s'approchant de moi, pour s'immobiliser avant de s'asseoir à mes côtés, sur mon banc de parc.

Je ne pouvais donc jamais être tranquille, ai-je

pensé, irritée. J'ai ouvert les yeux, tourné la tête et vu qu'il était là, lui, Leonard Cohen.

Son visage paraissait plus vieux que dans le souvenir que j'avais gardé de son dernier spectacle à Montréal. Ses traits étaient tirés, et la peau s'accrochait mollement à ses tempes et à ses mâchoires, comme chez les vieux. Il portait un col roulé noir et un veston de lainage gris. Il semblait insensible à la chaleur du soleil.

Il a sorti un livre froissé de la poche de son veston et l'a ouvert à la page marquée par un bout de papier journal. Du coin de l'œil, j'ai essayé de lire le titre ou le nom de l'auteur. J'ai simplement vu que le texte était agencé en strophes, comme un poème.

Mon cœur battait vite et mes joues brûlaient. Je me suis rappelé avoir lu une interview avec le chanteur qui révélait que son appartement montréalais donnait justement sur un square du quartier. Était-ce celui-ci ? J'ai regardé la rangée de duplex, avec leurs murs de brique et leurs corniches ciselées, mais aucun indice ne permettait de deviner lequel était le sien.

J'avais tant de choses à lui dire. Les souvenirs se sont mis à défiler dans mon esprit. Moi à quinze ans, dans ma chambre, la cire des bougies dégouline sur le tapis gris à poil long, j'enfonce le bouton du magnétophone pour faire jouer pour la vingtième fois « *Suzanne takes you down, to her place near the river* ». C'est à peu près tout ce que je comprenais des paroles de la chanson, mais j'aimais la voix de Cohen, le rythme monotone et envoûtant.

À l'école, il y avait une élève au visage disgracieux qui, à chaque soirée scolaire, jouait la mélodie de *Suzanne* à la flûte traversière. C'était sa seule façon de se racheter à nos yeux, et c'étaient les seuls moments où nous ne riions pas d'elle. Un jour, elle a laissé tomber sa flûte sur le sol et s'est mise à converser avec des interlocuteurs invisibles. Des ambulanciers sont venus la chercher, et nous ne l'avons jamais revue. Plus tard, j'ai appris qu'elle était schizophrène. Depuis, quand j'entends cette chanson, *Suzanne,* je la revois et j'imagine que c'est elle qui court vers la rivière, portant des vêtements d'occasion achetés à l'Armée du Salut.

Il y a eu d'autres moments et d'autres chansons. J'étais Jeanne d'Arc, l'héroïne solitaire, et Marianne, l'amoureuse abandonnée. Je me suis rappelé avoir dansé un slow sans fin avec Lucien, sur *Dance me to the end of love.* Le chanteur disait : « *Dance me to the children who are asking to be born* », et Lucien traduisait les paroles en chuchotant dans mon oreille. Nous avons dansé comme ça pendant des années, et deux enfants qui demandaient à naître ont vu leur prière exaucée.

Il y a aussi eu la période *Famous Blue Raincoat,* j'étais alors la Jane qui rentre au bercail avec une boucle des cheveux de son roi tsigane. À qui donc le chanteur adressait-il cette chanson ? Et qui était cet ennemi qui dormait ? Nous avons passé des soirées à écouter les paroles et à essayer de décortiquer ce qui n'était que suggéré.

Leonard ne tournait plus les pages de son livre, mais il regardait toujours fixement son poème. L'homme dont les chansons étaient imbriquées dans chaque étape de ma vie respirait lentement à mes côtés. J'ai imaginé une série de phrases d'approche. Vous êtes Leonard? J'aime beaucoup vos chansons. Que lisez-vous? Quelle maison habitez-vous? Êtes-vous toujours bouddhiste? J'avais beau me creuser la tête, c'était pathétique.

J'ai regardé l'heure : il me restait encore trente minutes avant mon rendez-vous. Décidément, avec la tête que j'avais, il aurait mieux valu que je croise Leonard à la sortie du salon de coiffure. Mais il n'y avait rien à faire. Dans ma tête, j'ai chanté : « *I love you in the mo-orning, our kisses deep and warm* », j'ai imaginé des boucles blondes s'étalant sur un oreiller, j'ai eu envie de lui demander pourquoi il faut toujours que les couples se brisent dans ses chansons, pourquoi ne pas faire mieux que dans la vie.

Et puis, des miracles existent. J'aurais aimé qu'il me dise quelque chose de doux et apaisant, qui me réconcilie avec moi-même.

Puis j'ai pensé à cette phrase qu'il avait déclamée lors de son dernier spectacle. Il y a une fêlure en chaque chose, et c'est par là qu'entre la lumière. J'avais tourné et retourné ces mots dans ma tête, pendant des jours. Cette fêlure qui semblait se creuser en moi au fil des ans, comment m'assurer qu'elle m'éclairerait au lieu de m'engloutir? Bien sûr, il fallait un espace pour laisser passer la clarté, mais cet espace n'était qu'un fil de fer entre le jour et la nuit. Comment faire pour s'ouvrir sans tomber dans l'obscurité? Ces derniers temps, tout se craquelait autour de moi, en même temps tout s'assombrissait. Quelque chose clochait dans ce vers, ou alors quelque chose clochait en moi. Comment faisait-il, lui? J'aurais aimé qu'il m'en parle, qu'il me donne sa recette, le mode d'emploi.

La sonnerie d'un cellulaire m'a tirée de mes pensées. C'était le téléphone de Leonard Cohen. Il a répondu en anglais, d'une voix étouffée. « *Yes darling, of course.* » Il a promis de passer chez Milano acheter des épinards, de l'huile d'olive et des pommes de terre. Il a sorti un crayon mal taillé du fond de sa poche et il a noté la liste d'épicerie dans son livre, à côté du poème.

Puis il parut irrité : « Non, pas le papier essuie-tout, il est trop cher là-bas, va plutôt à la pharmacie. » Je n'aurais pas pu imaginer une conversation plus futile.

J'ai toussoté, pour attirer son attention. Il s'est raclé la gorge et a essuyé son nez avec la manche de sa veste. Il aurait aussi bien pu se gratter les testicules ou cracher par terre : c'était comme s'il avait été seul sur ce banc. De toute façon, cet homme-là, l'homme qui était assis à mes côtés dans un parc tout près de chez mon coiffeur, n'avait rien à voir avec lui, avec MON Leonard Cohen. Il était vieux et banal.

J'ai regardé l'heure, il était trop tard pour mon rendez-vous. Je me suis levée sans tourner la tête dans sa direction et j'ai repris le chemin inverse, vers chez moi. Dans la rue, il y avait des gens attablés aux terrasses des cafés, des jeunes mamans qui poussaient des bébés dans leur landau, des joggeurs qui couraient au milieu du trafic, vers la montagne.

Quand je suis rentrée à la maison, Lucien m'attendait dans la cuisine. Il a dit : « Regarde, j'ai nettoyé le gril du barbecue, on fera des côtelettes d'agneau ce soir, avec du citron et du romarin. » Il avait débouché la bouteille de bordeaux et l'avait versé dans la carafe, pour le chambrer. Puis il m'a tirée vers lui en disant : « Ce que tu peux être belle. »

J'ai remis un vieux disque de Cohen. Le soleil amorçait maintenant sa descente, et un rayon lumineux a traversé le rideau ajouré du salon.

Table des matières

Crédits et remerciements

Les Éditions du Boréal reconnaissent l'aide financière du gouvernement
du Canada par l'entremise du Fonds du livre du Canada (FLC) pour
ses activités d'édition et remercient le Conseil des Arts du Canada
pour son soutien financier.

Les Éditions du Boréal sont inscrites au Programme d'aide
aux entreprises du livre et de l'édition spécialisée de la SODEC
et bénéficient du Programme de crédit d'impôt pour l'édition
de livres du gouvernement du Québec.

En couverture : Henry Wanton Jones, *Wood Nymph*, Galerie d'Avignon.

Hervé Bouchard
Parents et amis sont invités à y assister
Serge Bouchard
C'était au temps des mammouths laineux
Jacques Brault
Agonie
Louis Caron
Le Canard de bois
La Corne de brume
Le Coup de poing
L'Emmitouflé
Ying Chen
Immobile
Ook Chung
Contes butô
Jacques Côté
Wilfrid Derome. Expert en homicides
Gil Courtemanche
Le Camp des justes
Je ne veux pas mourir seul
Un dimanche à la piscine à Kigali
Une belle mort
France Daigle
Pas pire
Pour sûr
Francine D'Amour
Les dimanches sont mortels
Les Jardins de l'enfer
Jonathan Franzen
Les Corrections
Freedom
Christiane Frenette
Après la nuit rouge
Celle qui marche sur du verre
La Terre ferme
Katia Gagnon
La Réparation
Saint-Denys Garneau
Regards et jeux dans l'espace
Vickie Gendreau
Testament
Jacques Godbout
L'Aquarium
Le Couteau sur la table
L'Isle au dragon
Opération Rimbaud
Le Temps des Galarneau
Les Têtes à Papineau
Pierre Godin
René Lévesque, un homme et son rêve
Daniel Grenier
Malgré tout on rit à Saint-Henri
Agnès Gruda
Onze Petites Trahisons

Joanna Gruda
L'enfant qui savait parler la langue des chiens
David Hackett Fischer
Le Rêve de Champlain
Louis Hamelin
Betsi Larousse
Ces spectres agités
La Constellation du Lynx
Cowboy
Le Joueur de flûte
La Rage
Sauvages
Chris Harman
Une histoire populaire de l'humanité
Anne Hébert
Les Enfants du sabbat
Œuvre poétique 1950-1990
Le Premier Jardin
Bruno Hébert
C'est pas moi, je le jure!
Alice court avec René
Louis Hémon
Battling Malone, pugiliste
Écrits sur le Québec
Maria Chapdelaine
Monsieur Ripois et la Némésis
Everett C. Hughes
Rencontre de deux mondes
Suzanne Jacob
Laura Laur
L'Obéissance
Rouge, mère et fils
Thomas King
L'Herbe verte, l'eau vive
Marie Laberge
Annabelle
La Cérémonie des anges
Juillet
Le Poids des ombres
Quelques Adieux
Marie-Sissi Labrèche
Borderline
La Brèche
La Lune dans un HLM
Dany Laferrière
L'Art presque perdu de ne rien faire
Le Charme des après-midi sans fin
Comment conquérir l'Amérique en une nuit
Le Cri des oiseaux fous
L'Énigme du retour
J'écris comme je vis
Je suis un écrivain japonais
Pays sans chapeau
Robert Lalonde
C'est le cœur qui meurt en dernier

MISE EN PAGES ET TYPOGRAPHIE :
LES ÉDITIONS DU BORÉAL

CE DEUXIÈME TIRAGE A ÉTÉ ACHEVÉ D'IMPRIMER EN FÉVRIER 2015
SUR LES PRESSES DE MARQUIS IMPRIMEUR
À MONTMAGNY (QUÉBEC).